HOUGHTON MIFFLIN
Lectura
★ California ★

Recompensas

Autores principales
Principal Authors
Dolores Beltrán
Gilbert G. García

Autores de consulta
Consulting Authors
J. David Cooper
John J. Pikulski
Sheila W. Valencia

Asesores
Consultants
Yanitzia Canetti
Claude N. Goldenberg
Concepción D. Guerra

HOUGHTON MIFFLIN
Lectura
Herencia y futuro

HOUGHTON MIFFLIN
BOSTON

¡A la aventura!

10

La cascada
por Jonathan London
ilustrado Jill Kastner

ficción realista

Biblioteca del lector

- La cafetería
- Sacagawea
- Un gran día para bucear

Libros del tema

El Misterio del Tiempo Robado
*por Sarah Corona
ilustrado por Martha Avilés*

Días de gatos
por Violeta Monreal

Don Caracol Detective
*por José Francisco Viso
ilustrado por Agustí Asensio*

4

Celebremos las tradiciones

124

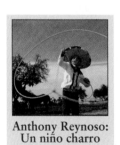

Arco iris bailarines
Relato de un niño pueblo
por Evelyn Clarke Mott

no ficción

Biblioteca del lector

- La mesa de la abuelita
- Los fabricantes de máscaras
- El regalo de la tejedora
- Fiestas en Valencia

Libros del tema

Un barrilete para el Día de los muertos
por Elisa Amado
Fotografías de
Joya Hairs

Un mundo nuevo
por D.H. Figueredo
illustrado por
Enrique O. Sánchez

El tapiz de Abuela
por Omar S.
Castañeda
ilustrado por
Enrique O. Sánchez

De cerca

Cuentos folklóricos

Contenido
Tema 3

Historias increíbles

256

8

El jardín de
Abdul Gasazi
escrito e ilustrado por Chris Van Allsburg

*relato
fantástico*

Biblioteca del lector

- Robogato
- El dragón de Cracovia
- Mi pulgar verde
- Luna

Libros del tema

El señor Viento Norte
*por Carmen de
Posadas Mañé
ilustrado por
Alfonso Ruano*

El viejo y su puerta
*por Gary Soto
ilustrado por
Joe Cepeda*

Diecisiete cuentos y dos pingüinos
*por Daniel Nesquens
ilustrado por Emilio
Urberuaga*

9

¡A la aventura!

No me puedo quedar quieta
en todo el día...
Me gusta la aventura,
y voy a encontrar una ahora mismo.

del libro *Mujercitas*
por Louisa May Alcott

¡A la aventura!

Contenido

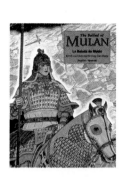

La cascada
por Jonathan London
ilustrado Jill Kastner

Tomar pruebas

Biblioteca del lector

- **La cafetería**
- **Sacagawea**
- **Un gran día para bucear**

Libros del tema

El Misterio del Tiempo Robado
   por Sarah Corona
   ilustrado por Martha Avilés

Días de gatos
   por Violeta Monreal

Don Caracol Detective
   por José Francisco Viso
   ilustrado por Agustí Asensio

Libros relacionados

Si te gusta...

Objetos perdidos
por Mark Teague

Entonces lee...

¿Quién se ha perdido?
por Colin Maclean (Fher Publications)
Clara y Luis buscan a Tin, un gato que se escapa mientras ellos juegan.

Alex y el amigo perdido
por Norbert Landa (Everest)
Alex el ratón pierde y encuentra a su mascota especial, un gato de juguete.

Si te gusta...

La Balada de Mulán
por Song Nan Zhang

Entonces lee...

Los siete hermanos chinos
por Margaret Mahy
(Scholastic)
Este cuento narra cómo siete hermanos se ayudan entre ellos para escapar del cruel emperador Huang.

Tut Tut
por Jon Scieszka (Norma)
Un misterioso viaje al antiguo Egipto lleva a un encuentro con el niño rey Tutmosis III.

La cascada
por Jonathan London

Entonces lee...

Los viajes de Miguel Vicente Pata Caliente

por Orlando Araujo
(Monte Ávila Editores)

Un niño limpiabotas sueña con viajes fantásticos llenos de aventuras.

Los huracanes

por Ernesto Márquez Nerey
(ADN Editores)

Se describen las causas y las fuerzas que provocan los huracanes con ilustraciones a todo color.

Tecnología

En Education Place
Añade tus informes de estos libros o lee los informes de otros estudiantes.

Education Place®

Visita www.eduplace.com/kids

Objetos
perdidos
por Mark Teague

Objetos perdidos

Vocabulario

- arrugada
- dirección
- preocuparse
- situaciones
- raro
- visibles

Estándares

Lectura

- Hacer y modificar predicciones

¿Dónde están los objetos perdidos?

Si se pierde algo en una tienda o en la escuela, no hay que **preocuparse**. Sencillamente pregunta en qué **dirección** tienes que ir para hallar el rincón de objetos perdidos. Ese lugar es donde se guardan los artículos que se pierden hasta que vienen sus dueños a buscarlos.

Una visita al rincón de objetos perdidos puede ser un suceso un poco **raro**. Por lo general muchos artículos están **visibles** en estanterías o mesas. En otras **situaciones**, los artículos están guardados en gavetas o en cajones. Al igual que los niños del cuento que vas a leer a continuación, es posible que tengas que buscar entre varias pilas de juguetes, zapatos o ropa **arrugada** para encontrar lo que buscas. Pero, ¡cuidado! ¡No te vayas a perder!

Objetos perdidos

conozcamos al autor e ilustrador
Mark Teague

Cuando era niño, a Mark Teague siempre se le perdían las cosas. Por eso no nos sorprende que a menudo haya visitado el rincón de objetos perdidos en su escuela. También se divirtió de lo lindo rebuscando entre las pilas de ropa y juguetes perdidos. Ahora podrás comprobar que Teague convirtió esos viajes de la vida real en toda una aventura.

Otros libros:

Pigsty

Baby Tamer

The Secret Shortcut

How I Spent My Summer Vacation

Internet

Para saber más acerca de Mark Teague y sus aventuras, visita Education Place.
www.eduplace.com/kids

Objetos perdidos

por Mark Teague

Estrategia clave

Esta aventura tiene muchas vueltas y giros inesperados. Cuando ocurra algo sorprendente, haz una pausa y **resume** lo que has leído para recordar lo que ha pasado hasta ese momento.

Lectura   Identificar datos importantes

Wendell y Floyd tenían un problema. Ese día por la mañana, un calamar gigante los había acorralado en el baño de varones durante casi una hora, y por eso faltaron a la prueba de matemáticas. La maestra, la Sra. Gernsblatt, se había enojado muchísimo con ellos.

—Tenemos muy mala suerte —dijo Floyd.

En ese preciso instante, Mona Tudburn entró en la oficina. Mona era la niña nueva de la clase.

—Busco el rincón de objetos perdidos —dijo—. Perdí mi sombrero de la suerte.

Wendell y Floyd se miraron. —Qué raro —dijo Wendell—. Precisamente estábamos hablando de la suerte.

—Tenemos muy mala suerte —dijo Floyd.

—Yo también —dijo Mona—. Sin mi sombrero, tengo mala suerte.

Wendell señaló un cajón que decía **OBJETOS PERDIDOS.**

—Me encantaría tener un sombrero de la suerte.

—A mí también —asintió Floyd—. Tal vez así no nos meteríamos en estas situaciones tan locas.

Mona buscó y rebuscó en las profundidades del cajón.
En poco tiempo, solamente sus pies eran visibles. En un
instante desapareció.

Los niños se acercaron a investigar.

—¿Adónde fue? —preguntó Wendell.

—No lo sé —dijo Floyd—. Debe estar perdida.

—No digas tonterías —le dijo Wendell—. ¿Cómo se va
a perder alguien en el cajón de objetos perdidos?

Floyd miró la puerta del director y pensó en el lío en que se iban a meter si no estaban allí cuando los llamaran.

—Supongo que deberíamos ir a buscarla —suspiró.

Se metieron en el cajón y se hundieron de repente en un
profundo agujero lleno de ropa y juguetes perdidos.

—Mira, Floyd, encontramos a Mona.

—Creo que fui yo quien los encontró a ustedes —dijo Mona.

—Tal vez sea hora de regresar —sugirió Floyd.

Mona vio un letrero que señalaba hacia un pasillo estrecho.
Decía "SALA DE LOS SOMBREROS".

—Seguro que mi sombrero está allí.

—No perdemos nada con mirar —dijo Wendell.

—Espera —dijo Floyd—. ¿Y si nos perdemos?

Wendell y Mona se rieron.

—Nadie se pierde en el cajón de objetos perdidos.

El pasillo los llevó a una cueva, donde un lago profundo burbujeaba y despedía vapor.

—Me pregunto si el director sabe que este lugar existe —dijo Floyd.

Wendell inspeccionaba una armadura.

—Algunas de estas cosas llevan muchísimo tiempo perdidas.

—Todavía no veo mi sombrero —se quejó Mona.
En eso Wendell encontró una barca.
—¡Perfecto! Remaremos para llegar al otro lado.

Al otro lado del lago había tres túneles.

—¿Por dónde seguimos ahora? —preguntó Floyd.

—Podemos lanzar una moneda para decidirlo —sugirió Wendell.

Mona frunció el ceño.

—Eso sólo funciona si hay dos opciones. Aquí hay tres.

Los niños lo pensaron un rato. Finalmente Wendell se cansó de pensar.

—Probemos el del medio —dijo.

El túnel se convirtió en un pasillo lleno de curvas y puertas.
Las fueron abriendo todas, pero no vieron ni un solo sombrero.
—Sabía que nos íbamos a perder —dijo Floyd refunfuñando.

—Nadie se pierde en el cajón de objetos perdidos —le dijeron Mona y Wendell, pero ya no lo decían con la misma seguridad de antes.

Llegaron a la última puerta. Mona giró la perilla y haló la puerta...

—¡La sala de los sombreros! —exclamaron los niños.

Pero Mona sacudió la cabeza preocupadísima.

—¡Hay demasiados sombreros! Nunca encontraré mi sombrero aquí.

Decidieron buscarlo de todas maneras.

—¿Es éste? —preguntó Wendell. No lo era.

—¿Y éste? —Floyd le enseñó un sombrero rosado enorme con flores moradas y un canario encima.

—Claro que no —dijo Mona.

Los niños se empezaron a probar los sombreros.

—¿Cómo sabes si un sombrero es de la suerte? —preguntó Floyd.

—No lo sé —dijo Mona—. Te da una sensación de que es de la suerte.

Wendell se probó un fez rojo con una pequeña borla dorada. —Me da la sensación de que éste es de la suerte.

Mientras Floyd buscaba su propio sombrero de la suerte, la borla de Wendell le empezó a hacer cosquillas en la nariz.

—Creo que voy a estornudar.

—Espera. Te busco un pañuelo.

Mona metió la mano en la cartera, y puso una cara muy extraña. Sacó una cosa verde y muy arrugada.

—Es mi sombrero de la suerte. Supongo que lo tenía en la cartera todo el rato.

Nadie dijo nada por un momento.

—Al menos ahora podemos regresar —suspiró Floyd.

—Tal vez no podamos —dijo Wendell.

—¿Qué quieres decir con eso? —le preguntaron Floyd y Mona.

—Quiero decir que tal vez nos perdimos.

Floyd se quejó.

—Pensé que habías dicho que nadie se pierde en el cajón de objetos perdidos.

—Ha sido un día muy raro —dijo Wendell—. A decir verdad, no me acuerdo de la puerta por la que entramos.

Los niños miraron a su alrededor. Había una puerta en cada dirección. Ninguno de ellos recordaba cuál era la suya.

De pronto Mona empezó a reír.

—¿Para qué preocuparse? Todos llevamos sombreros de la suerte, ¿no?

Cerró los ojos y empezó a dar una vuelta lentamente. Cuando los abrió, señaló al frente.

—Vayamos por ahí.

Después de un largo viaje, las cabezas de los niños aparecieron en el cajón de objetos perdidos, justo a tiempo para oír al director que los llamaba.

—Wendell y Floyd, pasen por favor.

Era tarde cuando los niños salieron de la escuela.
Se encontraron a su nueva amiga Mona, que los esperaba.

—¿Cómo les fue?

—No tan mal —dijo Floyd.

El director les había dado un discurso sobre la importancia
de decir la verdad. Por supuesto, la Sra. Gernsblatt los había
obligado a quedarse a completar la prueba de matemáticas,
pero pudo haber sido peor.

—Me parece que nuestra suerte está cambiando —dijo Wendell.

—A mí también —asintió Mona.

Como era tarde, decidieron tomar un atajo.

—Espero que no nos perdamos —dijo Floyd, pero no
se preocupó. Tampoco se preocuparon Mona ni Wendell.
Se detuvieron un momento y se pusieron los sombreros.
Entonces se dirigieron a casa, compartiendo juntos la buena
suerte que los unía.

Piensa en la selección

1. ¿Tiene que ver la suerte con los problemas de Wendell y Floyd? Explica tu respuesta.

2. ¿Por qué siguen los niños a Mona cuando ella se mete en el cajón de objetos perdidos?

3. ¿Por qué crees que el mundo del cajón de objetos perdidos se vuelve cada vez más extraño a medida que los niños se adentran más en él?

4. ¿Qué podría haber pasado si los niños no hubieran salido del cajón de objetos perdidos cuando lo hicieron?

5. ¿Habrías seguido a Mona cuando se metió al cajón de objetos perdidos? ¿Por qué?

6. **Conectar/Comparar** ¿Por qué crees que *Objetos perdidos* es una aventura? ¿Cómo logran las ilustraciones que te sientas como si participaras de la aventura?

Objetos
perdidos
por Mark Teague

Escuela
Lago
Sombreros

Explicar

Escribe instrucciones

Ahora que ya conoces el camino, escribe instrucciones paso por paso para salir del cajón de objetos perdidos. Empieza en la sala donde cayeron los niños después de meterse en el cajón de objetos perdidos.

Consejos

- Numera los pasos de las instrucciones que escribas.
- Usa palabras imperativas como *cruza* y *sigue*.

Matemáticas

Probabilidades

Con un compañero, haz una rueda con una flecha giratoria en la que cada uno de tres túneles tenga la misma probabilidad de salir. Giren la flecha treinta veces. Apunten cuántas veces sale cada túnel. Comparen los resultados con los del resto de la clase.

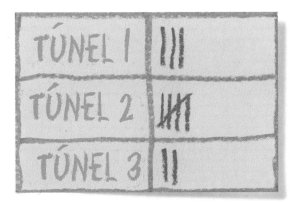

Extra Haz una rueda con una flecha giratoria en la que uno de los túneles tenga una probabilidad mayor de salir que los otros dos. Gira la flecha treinta veces. Compara los resultados con los primeros treinta giros.

Arte

Dibuja una sala

¿A cuál de las salas de *Objetos perdidos* te gustaría haber entrado? Vuelve a hojear el cuento. Elige una sala que veas o inventa una nueva sala que no salga en las ilustraciones. Dibuja la sala y los objetos que podrías encontrar allí.

Resuelve un misterio en Internet

Sigue las instrucciones y busca el dibujo que se perdió entre los puntos. Visita Education Place e imprime una hoja misteriosa.

www.eduplace.com/kids

Para buscar una cosa del juego

—¿Qué has perdido?

—Una aguja y un dedal.

—Da tres vueltecitas,

ya verás que lo encontrarás.

rima tradicional

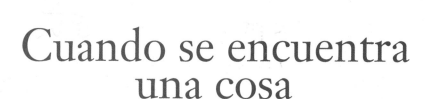

Cuando se encuentra una cosa

Una cosa me he encontrado,

cinco veces lo diré.

Si su dueño no aparece,

con ella me quedaré.

rima tradicional

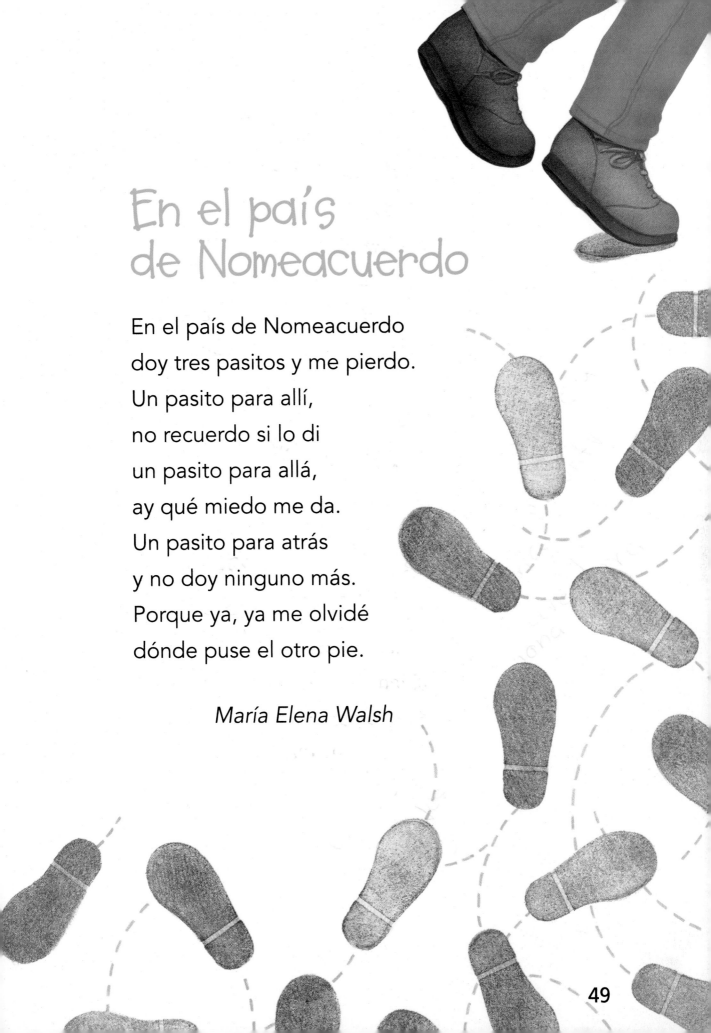

En el país de Nomeacuerdo

En el país de Nomeacuerdo
doy tres pasitos y me pierdo.
Un pasito para allí,
no recuerdo si lo di
un pasito para allá,
ay qué miedo me da.
Un pasito para atrás
y no doy ninguno más.
Porque ya, ya me olvidé
dónde puse el otro pie.

María Elena Walsh

Perdió el niño sus zapatos...

Perdió el niño sus zapatos
a la orilla del mar.
Los encontró un marinero
que no los puede calzar.
Dicen que llamó a los pájaros
que vuelan en altamar:
—¿Quién me compra unos zapatos?
¿Cuánto por ellos me dan?—
…Las gaviotas se reían
con risas de agua con sal…
Los zapatos van de paso
más allá del litoral.

Ester Feliciano Mendoza

Narración personal

Una narración personal es un relato real sobre algo que le ocurrió al autor o autora. Usa la muestra de escritura de esta estudiante cuando escribas tu propia narración personal.

> Un buen **principio** hace que el lector quiera seguir leyendo para averiguar lo que va a ocurrir.

Zapatos perdidos

¡Anímate! ¿Quieres leer lo que pasó cuando perdí mis zapatos? Fue el 6 de marzo de 1999. Mi amiga Lindsey vino a casa a jugar. Le gustaron mis zapatos, y a mí me gustaron los de ella, así que los intercambiamos. Un poco más tarde, era hora de que ella se fuera a su casa. Me despedí de ella desde la ventana cuando salió por la puerta. A la mañana siguiente, mis zapatos habían desaparecido. Me sentí tan triste como una madre cuando pierde a su hijo. ¿Dónde, pero dónde podían estar? Los busqué por todo el cuarto, pero sólo encontré un trozo viejo de pizza que las hormigas se habían comido. ¡Qué asco!

Lo primero que hice fue buscar por toda la casa. Pero sólo encontré una media sucia, 3 chocolates, un mapa viejo y 15 papelitos. Luego busqué en el carro, pero sólo encontré una caja vieja, 6 relojes de pulsera, 7 envolturas de caramelos y un trozo de queso. Me puse a pensar y a buscar y a preguntarme dónde podrían estar.

Finalmente, pensé en todo lo que había hecho y recordé que había intercambiado mis zapatos con Lindsey. Salí volando para su casa y le pedí los zapatos. Sentí el mismo alivio que siente una madre cuando encuentra a su hijo. Lustré mis zapatos todo el día hasta que no podían brillar más.

Al día siguiente cuando me vestí para ir a la escuela, até con orgullo los cordones de mis lustrosos zapatos azules. Fui a recoger la mochila, pero... ¡AY, NO! ¿DÓNDE ESTÁ MI MOCHILA?

Los **detalles** le dan vida a la narración.

Es importante no desviarse del **tema.**

Los lectores disfrutan de un buen **final.**

Conozcamos a la autora

Nina M.

Grado: tercero

Estado: Florida

Pasatiempos: escribir, leer y jugar con su hermana

Qué quiere ser cuando sea mayor: artista y compositora

La Balada
de Mulán

Vocabulario

armadura
camaradas
se despidió
soportó
triunfante
tropas
victoriosa

Estándares

Lectura

- Aplicar conocimientos previos

54

La leyenda de Mulán

Una antigua leyenda china cuenta el relato de una joven llamada Mulán. Hace muchos años, había muchas guerras y batallas en China. El gobernante de China, el emperador, solía reclutar por la fuerza a los hombres para que formaran parte del ejército. En muchas ocasiones, cada hombre **se despidió** de su familia y abandonó su hogar para combatir junto a sus **camaradas**.

En algunas ocasiones, el ejército ganaba una batalla y regresaba **triunfante** a su hogar. En otras ocasiones, **soportó** muchas dificultades y la batalla no resultó **victoriosa**.

La antigua leyenda dice que Mulán demostró muchísima valentía durante esta época tan difícil. El cuento que vas a leer cuenta la leyenda de cómo Mulán se convirtió en heroína de los chinos.

Estas esculturas representan a soldados de las **tropas** del emperador, quienes llevaban una **armadura** para protegerse.

Estados Unidos

China

Esta escultura de arcilla representa cómo pudo ser un caballo del ejército.

Este edificio, en lo alto de un risco, tiene una vista del río Amarillo de China, donde las tropas tal vez acamparon hace mucho tiempo.

CONOZCAMOS AL
AUTOR E ILUSTRADOR

Song Nan Zhang

- Song Nan Zhang nació en Shanghai, China, en 1942.

- Una vez, cuando era muy pequeño, el Sr. Zhang vio un cachorro de tigre escondido entre las plantas del patio de su casa. Entró corriendo a la cocina y exclamó: "¡Mamá, mamá, hay un gato muy grande afuera!"

- Cuando era niño, el Sr. Zhang hizo varios dibujos cómicos de su padre y los colgó en la pared de su casa. En lugar de enojarse, su padre se sintió muy orgulloso de que su hijo fuera tan buen dibujante.

- Hoy en día, el Sr. Zhang vive en Canadá, donde trabaja como artista, escritor y maestro.

OTROS libros:

The Children of China

Cowboy on the Steppes

The Legend of the Panda
(por Linda Granfield)

The Man Who Made Paris
(por Frieda Wishinsky)

Para saber más acerca de Song Nan Zhang, visita Education Place.

www.eduplace.com/kids

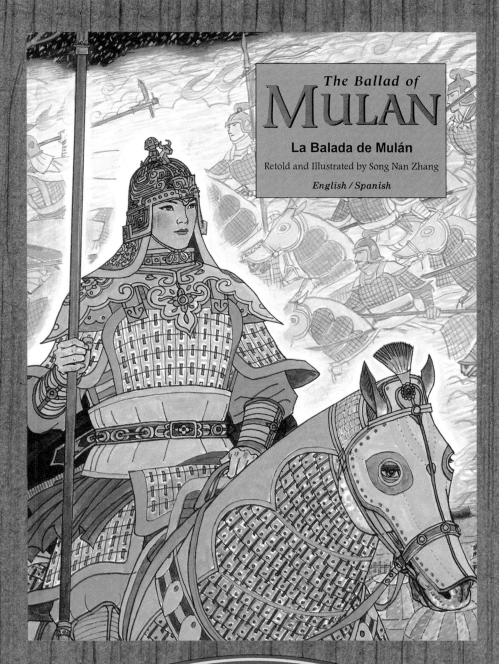

The Ballad of
MULAN
La Balada de Mulán
Retold and Illustrated by Song Nan Zhang
English / Spanish

Al leer, **revisa** si comprendes los sucesos del cuento. Vuelve a leer para **aclarar** cualquier cosa que te parezca confusa.

Hace mucho tiempo, en un pueblo al norte de China, vivía una joven llamada Mulán. Un día se sentó en su tejedora de tela. *¡Clic-clac! ¡Clic-clac!* sonaba el telar.

女亦無所思　女亦無所憶
問女何所思　問女何所憶

木蘭辭　北朝樂府

De repente el sonido del telar se transformó en suspiros
de dolor. —Mulán, ¿qué te molesta? —preguntó su madre.
—Nada, Madre —contestó Mulán con voz suave.

59

昨晚見軍帖可汗大點兵

木蘭辭　北朝樂府

La madre de Mulán preguntó una y otra vez hasta que finalmente Mulán dijo: —Hay noticias de una guerra.

　　—Los invasores están atacando.　El Emperador está llamando a las tropas.　Anoche, vi en el mercado el cartel de reclutamiento y doce rollos de pergamino con listas de nombres.　El nombre de papá está en cada uno de ellos.

阿爺無大兒木蘭無長兄

木蘭辭　北朝樂府

　　—Pero papá está viejo y débil —suspiró Mulán—. ¿Cómo
puede pelear él? Él no tiene un hijo adulto y yo no tengo un
hermano mayor.

願為市鞍馬從此替爺征

木蘭辭

北朝樂府

—Iré a los mercados. Debo comprar una silla de montar y un caballo. Debo pelear en el lugar de papá.

En el mercado del oriente Mulán compró un caballo, y en el mercado del oeste compró una silla de montar. En el mercado del norte compró una brida, y en el mercado del sur compró un látigo.

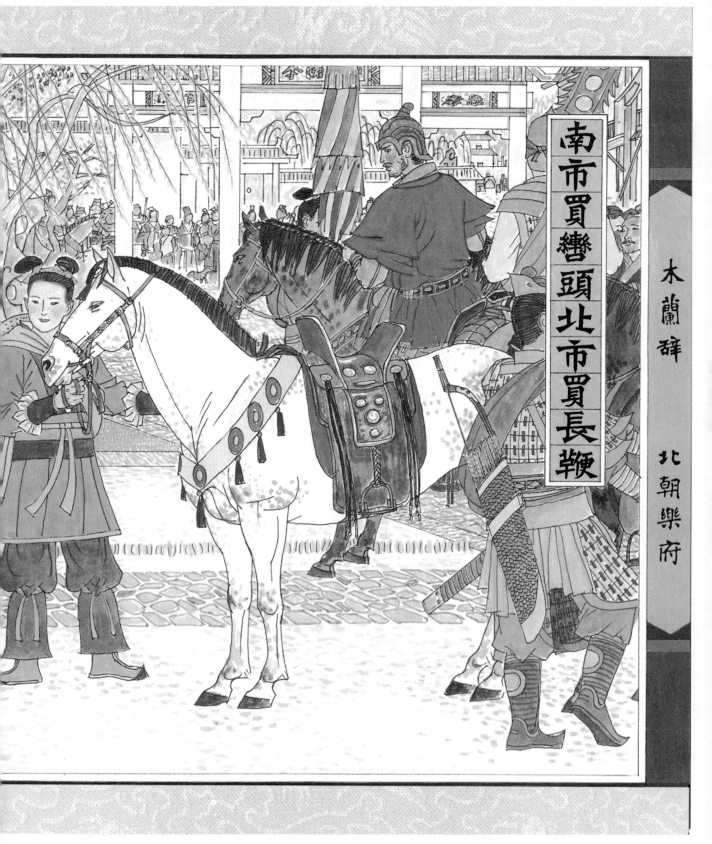

南市買轡頭北市買長鞭

木蘭辭

北朝樂府

Al amanecer, Mulán se vistió con su armadura y se despidió con tristeza de su padre, su madre, su hermana y hermano. Luego, subió a su caballo y partió con los soldados.

朝辭爺娘去暮宿黃河邊

木蘭辭

北朝樂府

Al caer la noche, acampó por la orilla del Río Amarillo.
Pensó haber escuchado a su madre que llamaba su nombre.

但聞黃河流水鳴濺濺
不聞爺娘喚女聲

木蘭辭

北朝樂府

Pero era sólo el sonido del río que lloraba.

Al amanecer, Mulán abandonó el Río Amarillo. Al oscurecer, llegó al pico de la Montaña Negra.

但聞燕山胡騎聲啾啾
不聞爺娘喚女聲

木蘭辭

北朝樂府

En la oscuridad, deseaba oír la voz de su padre, pero sólo escuchaba en la lejanía el relinchido de caballos enemigos.

萬里赴戎機關山度若飛

木蘭辭　北朝樂府

Mulán cabalgó diez mil millas para pelear cien batallas.
Cruzó picos y pasajes como un pájaro en vuelo.

朔氣傳金柝寒光照鐵衣

木蘭辭

北朝樂府

Las noches en el campamento fueron ásperas y frías, pero Mulán soportó toda pena.

Saber que su padre estaba a salvo le animaba su corazón.

La guerra persistía. Fieras batallas destruían la tierra.
Generales nobles perdían sus vidas uno tras otro.

壮士十年歸

木蘭辭

北朝樂府

La destreza y el coraje de Mulán le dieron rango y respeto.
Después de diez años, regresó como un gran general, ¡triunfante
y victoriosa!

木蘭辭 北朝樂府

歸来見天子天子坐明堂

El Emperador convocó a Mulán al Palacio Imperial.
La alabó por su valor y liderazgo en la batalla.

策勛十二轉賞賜百千強

木蘭辭　北朝樂府

La Corte le otorgaría títulos honoríficos. Mulán abundaría
de obsequios de oro.

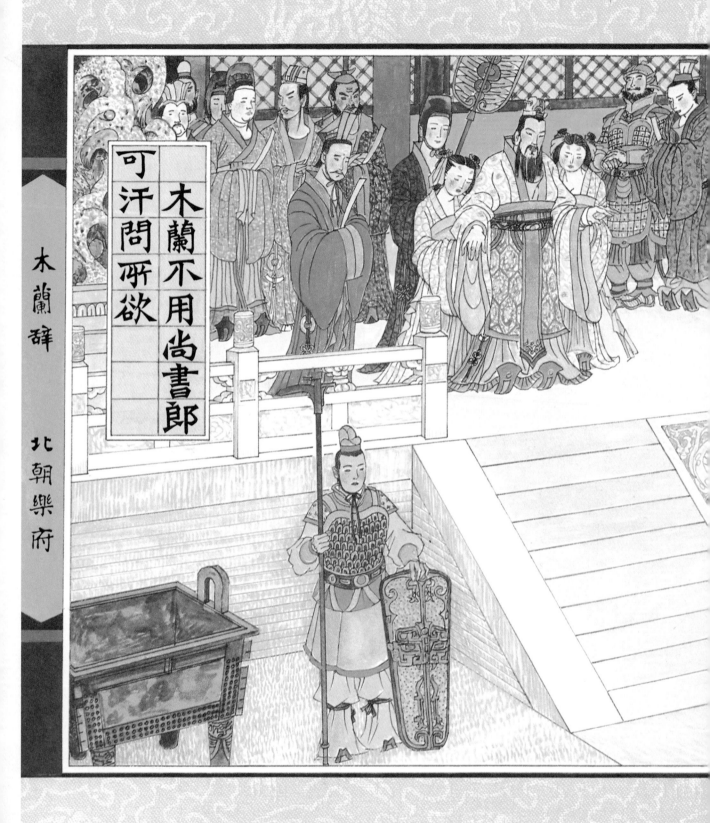

—Digno General, puede tener lo que su corazón desea —dijo el Emperador.

—No tengo necesidad de oro o de honores —contestó Mulán.

顾借明驼千里足　送儿还故乡

木兰辞　北朝乐府

　　—Todo lo que quiero es un camello veloz que me lleve
de regreso a mi hogar.

　　El Emperador envió una tropa para escoltar a Mulán en
su viaje.

木蘭辭　北朝樂府

阿姊聞妹來當戶理紅妝
爺娘聞女來出廓相扶將

En la ciudad, las noticias del regreso de Mulán causaron gran
entusiasmo. Abrazados, sus orgullosos padres caminaron a la
entrada del pueblo para darle la bienvenida.

小弟聞姊來　磨刀霍霍向豬羊

木蘭辭　北朝樂府

Mientras esperaba en casa, la hermana de Mulán se arregló.
Su hermano afiló su cuchillo para preparar un cerdo y una oveja
para la fiesta en honor de Mulán.

脱我戰時袍著我舊時裳
開我東閣門坐我西閣床

木蘭辭

北朝樂府

¡Por fin, en casa! Mulán abrió completamente la puerta de su dormitorio y sonrió. Se quitó la armadura y se puso uno de sus vestidos favoritos.

當窗理雲鬢對鏡貼花黃

木蘭辭 北朝樂府

Se cepilló su brillante cabello negro y se puso una flor amarilla en la frente. Se miró en el espejo y sonrió de nuevo, feliz de estar en casa.

出門看伙伴伙伴皆惊惶

木蘭辭 北朝樂府

¡Qué sorpresa cuando Mulán apareció en la puerta! Sus camaradas se sorprendieron y admiraron. —¿Cómo es posible? —se preguntaron.

同行十二年　不知木蘭是女郎

木蘭辭　北朝樂府

—¿Cómo pudimos haber peleado contigo lado a lado por diez años y no haber sabido que eras una mujer?

雄兔腳撲朔雌兔眼迷離

木蘭辭　北朝樂府

Mulán replicó: —Dicen que al conejo le gusta brincar y saltar, mientras que la coneja prefiere sentarse quieta. Pero en tiempo de peligro, cuando los dos corren de prisa, ¿quién puede distinguir entre el macho y la hembra?

La gloria de Mulán se difundió a través de la tierra. Y hasta este día, cantamos sobre esta joven valiente que amó a su familia y sirvió a su país sin pedir nada a cambio.

Piensa en la selección

1. ¿Por qué Mulán no le dice enseguida a su madre que se acerca la guerra?

2. ¿Qué podría haber pasado si Mulán hubiera pedido pelear vestida de mujer?

3. ¿Por qué se sorprenden tanto los hombres que pelearon junto a Mulán de que ella sea una mujer? Enumera varias razones.

4. ¿Qué te dicen las acciones de Mulán sobre el significado de la valentía?

5. El relato de Mulán se ha contado por cientos de años. ¿Por qué crees que a la gente le gusta contarlo?

6. **Conectar/Comparar** ¿Cuál te parece una aventura más emocionante: *Objetos perdidos* o *La Balada de Mulán?*

Expresar

Escribe una carta

Mulán pasó muchas noches lejos de su casa. Escribe una carta de parte de Mulán a su padre. Dile cómo es el lugar donde está Mulán y lo que ella ha hecho desde que se fue de su casa.

23 de mayo

Querido papá:

Consejos

- Usa palabras que describan con precisión personas, lugares y sucesos.
- Rellena el círculo de respuesta por completo.
- Recuerda usar las cinco partes de una carta.

Diploma al liderazgo

Sabemos que Mulán era una buena soldada. En grupos pequeños, comenten de cuáles otras maneras era Mulán una buena líder. Luego hablen de las personas de su comunidad que son buenos líderes. Voten por el mejor líder y hagan un diploma al liderazgo para el ganador. Escriban su nombre en el premio.

Compara el libro con la película

Ahora que has terminado de leer *La Balada de Mulán,* puedes comparar esta versión del cuento con una película de Mulán. Usa un diagrama de Venn para enumerar las semejanzas y diferencias. Luego elige una escena que haya sido mucho mejor en la película o en el libro y coméntala con un compañero.

Publica una reseña

Internet

Diles a otros estudiantes de todo el país lo que piensas de *La Balada de Mulán.* Escribe una reseña del cuento y publícala en Education Place.

www.eduplace.com/kids

Escuchar/Hablar
Estudios sociales
Medios de comunicación: análisis
Importancia de la honradez

87

Destreza: Cómo leer una clave

*Una **clave** es una tabla que explica lo que significan ciertos símbolos*

Antes de leer...

1 **Mira** la clave para ver la información que te da.

2 **Predice** cómo vas a usar la clave.

Al leer...

1 **Vuelve** a mirar la clave para buscar los símbolos que ves en el texto.

2 **Identifica** el significado de cada símbolo.

Estándares

Lectura
- **Identificar información en el texto**
- **Identificar datos importantes**

Escritura
- **Escribir narraciones**

Escritura

¿Eres un 子, una 女 o un 人? ¿Te despiertas con el 日 o con la 月? ¿Te has montado alguna vez en una 車 para subir por una 山 mientras cae la 雨? A menos que sepas leer en chino, seguramente no sabes las respuestas, ¡pero pronto las sabrás!

Para escribir en chino, se trazan dibujos que se llaman caracteres. Hace mucho tiempo, los dibujos eran iguales a las cosas que representaban. Por ejemplo, ☉ era el dibujo que quería decir "sol" y ☾ era el dibujo que quería decir "luna". ¿Ves el sol circular y la media luna? Pero con el paso de los siglos, los caracteres fueron cambiando hasta ser así 日 (sol) y 月 (luna). Imagínate: más de mil millones de personas usan esta hermosa forma de escribir.

Lee el cuento de la página 91. Observa si puedes entender el significado de los caracteres chinos. Para ello, fíjate en las palabras y caracteres del recuadro.

china

por Susan Wills

ilustrado por
Lily Toy Hong

車 carreta

山 montaña

子 niña

雨 lluvia

火 fuego

日 sol

人 hombre

女 mujer

月 luna

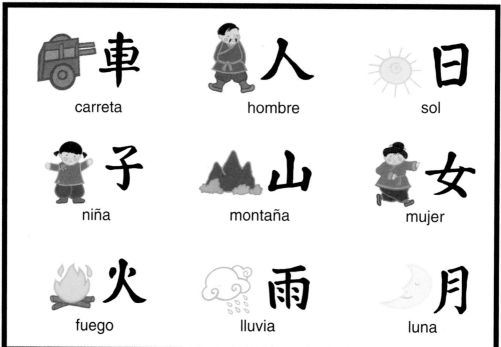

車 carreta	人 hombre	日 sol
子 niña	山 montaña	女 mujer
火 fuego	雨 lluvia	月 luna

En la cima de una 山 vivía un 人 , una 女 y una 子 . Todos los días, cuando salía el 日 , sacaban su 車 y bajaban por la 山 para ir al mercado a comprar comida. Todas las noches, cuando salía la 月 , volvían a subir por la 山 para ir a su casa a cenar.

Después de muchos años, la familia se cansó de tanto caminar para arriba y para abajo. —Si tan sólo tuviéramos un poco de 雨 para poder cultivar nuestra propia comida —dijo la 女 .

Una noche, la 子 tuvo un sueño. Al día siguiente, en cuanto salió el 日 , la 子 salió y encendió 火 con varios palitos. Como nunca habían visto el 火 en la cima de una 山 , las nubes se asustaron y enviaron la 雨 para que apagara el 火 . Desde ese momento, siempre que la familia quería 雨 , uno de ellos encendía un poco de 火 , y las nubes se daban prisa en apagarlo.

Pronto la familia tuvo agua suficiente para cultivar una buena huerta. Por supuesto, ahora la 子 , la 女 y el 人 estaban bastante cansados de arrancar la maleza del jardín y de espantar a los conejos de la huerta. Por eso, una mañana, cuando salió el 日 sacaron la 車 y bajaron por la 山 para ir al mercado a comprar comida.

Ahora que has leído el cuento, ¿por qué no inventas tu propio relato en que uses los mismos caracteres chinos? Cuando termines el cuento, dáselo a un amigo para que lo lea.

Desarrollar conceptos

¿Qué es una cascada?

La cascada
por Jonathan London
ilustrado por Jill Kastner

La cascada

Vocabulario

caldero
cañón
escarpados
explorar
rápidos
rocas
salientes

Estándares

Lectura

- Aplicar conocimientos previos

Un bajón repentino en el nivel de un río o arroyo hace que el agua caiga por un borde. A esa caída de agua se le llama cascada. Algunas cascadas sólo tienen unos pies de altura. Otras, como la del cuento que sigue, se precipitan desde un acantilado y caen estrepitosamente en un **cañón** profundo.

Las corrientes de agua pueden tallar escalones en la roca. Estos escalones en los **escarpados** barrancos de los cañones se llaman **salientes**.

El agua cae desde gran altura y crea u pozo con espuma que puede parecer un **caldero** hirviente.

Suele haber **rocas** dentro o cerca del cauce del río.

Los grupos de pequeñas casca juntas se llaman **rápidos**.

92

Durante las caminatas, hay que explorar las zonas próximas a las cascadas para encontrar el camino más seguro.

93

La cascada

por Jonathan London
ilustrado por Jill Kastner

A la familia que aparece en este cuento le gusta explorar la naturaleza. Lee con atención y trata de **predecir** lo que va a ver y hacer a continuación.

A mediados de julio fuimos a las montañas con las mochilas y seguimos el curso de un arroyo.

En ambas riberas había muchos zumaques venenosos, así que caminamos por el agua fría con las mochilas en la cabeza. El agua les llegaba a mis padres hasta la cadera y a nosotros, hasta el pecho.

Acampamos en un banco de arena junto a una poza rodeada de rocas. ¡Qué buena poza para nadar! Mi hermano y yo nos zambullimos y chapoteamos en el agua, que era tan cristalina como un diamante.

Continuamos subiendo por el arroyo, avanzando contra la corriente de los rápidos y buscando el camino entre las rocas resbaladizas. De pronto escuchamos un rugido y, al llegar al recodo del río, descubrimos de dónde venía.

¡Una cascada enorme! Se elevaba ante nosotros por encima de los pinos más altos. Sólo colgaban algunos helechos de la pendiente de roca. Un arco iris relucía entre la ruidosa bruma del agua.

—¡Increíble! —dije—. ¡Escalemos!

—De ninguna manera —dijo papá—. Hasta aquí llegamos.

Regresamos. Esa noche preparamos la cena sobre la fogata y observamos las chispas de la hoguera elevarse hacia las estrellas. Yo no podía dejar de pensar en la cascada y en cuánto me habría gustado escalar hasta arriba.

Más tarde, acurrucado en mi saco de dormir, escuché gruñidos y crujidos que venían de los arbustos... Finalmente me dormí, un poco asustado.

A la mañana siguiente, encontramos huellas. —Un puma —dijo mi papá—. Debe haber bajado en busca de agua.

El corazón se me quería salir del pecho, como cuando vi la cascada. —¡Vamos a escalar la pendiente que hay junto a la cascada! —dije.

—No se puede —dijo papá—, pero ¡vayamos de todos modos!

El sol quemaba como una hoguera. Arrancamos unas hojas grandes que parecían orejas de elefante y usamos tallos de enredaderas para atarnos las hojas a la cabeza y protegernos del calor. Después, nos abrimos paso contra los pequeños rápidos y así nos adentramos en el cañón.

Fui el primero en llegar a la cascada.

—Subamos —dije.

Mi hermano sonrió.

—Si vas primero, te sigo —dijo.

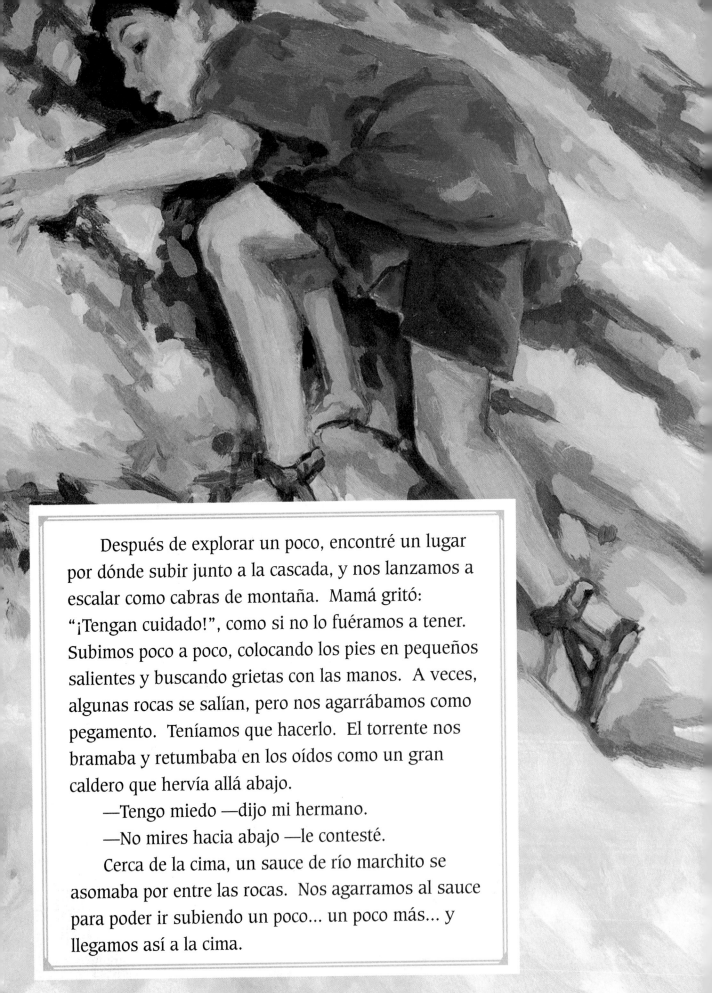

Después de explorar un poco, encontré un lugar por dónde subir junto a la cascada, y nos lanzamos a escalar como cabras de montaña. Mamá gritó: "¡Tengan cuidado!", como si no lo fuéramos a tener. Subimos poco a poco, colocando los pies en pequeños salientes y buscando grietas con las manos. A veces, algunas rocas se salían, pero nos agarrábamos como pegamento. Teníamos que hacerlo. El torrente nos bramaba y retumbaba en los oídos como un gran caldero que hervía allá abajo.

—Tengo miedo —dijo mi hermano.

—No mires hacia abajo —le contesté.

Cerca de la cima, un sauce de río marchito se asomaba por entre las rocas. Nos agarramos al sauce para poder ir subiendo un poco... un poco más... y llegamos así a la cima.

Cuando llegamos a la cima, chocamos las manos y les gritamos a los que habían quedado abajo:

—¡OIGAN, MAMÁ, PAPÁ! ¡HAY OTRO MUNDO ACÁ ARRIBA! ¡SUBAN! ¡LO LOGRARÁN!

Y me puse a bailar de alegría.

Mamá miró a papá, y papá miró a mamá. Después mamá empezó a escalar, y papá la siguió. ¡No lo podía creer!

Me acosté en la roca para darles instrucciones. —¡No, ese saliente no; prueben el de arriba a la derecha! Nunca me había sentido tan ansioso y orgulloso como cuando vi a mis padres aferrados al barranco escarpado de roca.

De repente escuché un grito y el corazón se me subió a la garganta.

¡Pero era un grito triunfal! Mis padres treparon y treparon, y llegaron a la cima.

—¡Lo logramos! —gritó mamá con alegría mientras respiraba agitada.

—¡Lo lograron! —repetí—. ¡Papá, pensé que habías dicho que no se podía llegar!

—No se *puede* —dijo con una sonrisa.

Después, seguimos todos juntos el cauce del arroyo.

—¡Miren! —grité.

Un gran tronco flotante había quedado atrapado entre las rocas.

—¡Parece un bailarín!

Estaba lustroso, pulido por el agua del río. Parecía un niño dando vueltas alegremente.

—¿Nos lo podemos llevar a casa? —pregunté—. Sería un buen recuerdo.

—Si lo puedes cargar —dijo papá—, puedes quedártelo.

Fue lo más difícil que he hecho, pero tiré con todas mis fuerzas y lo saqué del agua...

Y ahora lo tenemos en el patio. Algunos piensan que es una escultura. Nosotros lo llamamos simplemente "El Bailarín". Cada vez que lo miro me recuerda la cascada y me hace latir el corazón con fuerza una vez más.

Jonathan London

Cumpleaños: 11 de marzo

Una aventura que tuvo de niño: El papá de London formaba parte de la Marina de los Estados Unidos, así que la familia se mudó muchas veces cuando London era niño. Vivió en muchos lugares de los Estados Unidos y en Puerto Rico.

Cómo se convirtió en escritor: Cuando sus hijos eran pequeños, London empezó a inventar cuentos para contarles. Escribió uno, que llegó a ser el libro *The Owl Who Became the Moon*.

Pasatiempos: Poesía, montañismo, excursionismo con mochila, esquí de fondo, baile.

Otros libros: *Hip Cat, Red Wolf Country, Hurricane!, Thirteen Moons on Turtle's Back* (con Joseph Bruchac)

Conozcamos a la ilustradora

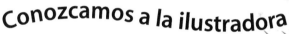

Jill Kastner

Dónde vive: Weehawken, New Jersey

Nombre de su esposo: Tim

Sus mascotas: Tres gatos

Otros libros: *Barnyard Big Top* (que también escribió), *Down at Angel's* (por Sharon Chmielarz), *Howling Hill* (por Will Hobbs)

Para conocer mejor a Jonathan London y a Jill Kastner, visita Education Place. **www.eduplace.com/kids**

Piensa en la selección

La cascada
por Jonathan London
ilustrado por Jill Kastner

1. ¿Cómo sabes que a los miembros de la familia del cuento les gusta estar juntos? Busca pistas en el cuento.

2. El niño siente que el corazón se le quiere "salir del pecho" cuando ve las huellas del puma. ¿Qué crees que quiere decir con eso?

3. ¿Por qué crees que el papá cambia de parecer y les permite a los niños escalar la cascada?

4. ¿Por qué "El Bailarín" es importante para el niño?

5. ¿Qué partes de la excursión de esta familia te habrían gustado o no te habrían gustado? ¿Qué actividades te gusta hacer con tu familia?

6. Conectar/Comparar Al final de su aventura, el niño regresa a casa y siente que ha cambiado. Mulán también ha cambiado cuando regresa a casa. Compara sus experiencias.

Describir

Escribe una descripción

La cascada es un lugar especial para el niño del cuento. Escribe una descripción de un lugar al aire libre que te guste visitar. Incluye detalles para que una persona que nunca haya estado allí entienda cómo es el lugar.

Consejos

- Haz un dibujo del lugar para recordar los detalles.
- Usa palabras que describan lo que ves, oyes y hueles.

Lectura | Identificar datos importantes
Escritura | Escribir descripciones

Haz un diagrama

Usa la ilustración de las páginas 100 y 101 para hacer un diagrama de la cascada del cuento. Rotula claramente los acantilados, los salientes, el pozo, las rocas y los rápidos. Si necesitas ayuda, vuelve a leer las páginas 92 y 93.

Escucha el mundo

Vuelve a hojear la selección. Busca todos los sonidos que oye el niño durante la excursión. Luego, presta atención a tus alrededores. Elige un lugar como un salón de clases, un parque, la esquina de la cuadra o tu casa. Escucha con atención durante cinco minutos. Escribe lo que oigas.

Consejos

- Haz silencio y no te muevas mientras escuchas.
- Cierra los ojos para no distraerte.

Internet

Haz una encuesta en línea

¿Has ido alguna vez de excursión con mochila? ¿Alguna vez has visto una cascada? Participa en una encuesta en línea en Education Place.

www.eduplace.com/kids

Destreza: Cómo leer un mapa

❶ Usa la **rosa de los vientos** para hallar el norte, el sur, el este y el oeste.

❷ Lee los **rótulos** para hallar ciudades, estados, países y otros lugares en el mapa.

❸ Busca **símbolos,** como figuras o líneas, que señalen información.

Estándares

Estudios sociales

• **Usar mapas para organizar la información**

Acampar en la naturaleza

artículo y fotos de Roger Kaye

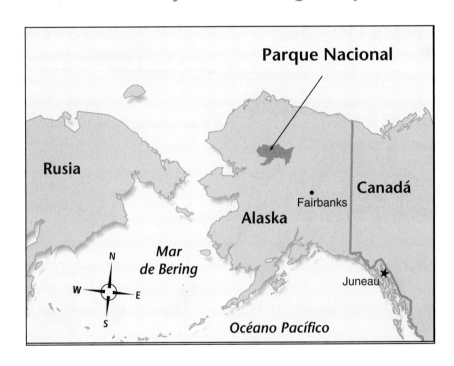

Parque Nacional

Rusia

Canadá

Fairbanks

Alaska

Mar de Bering

Juneau

N
W E
S

Océano Pacífico

"¡Lo logramos!" le dice Lolly Andrews a su hermana Polly. Después de una larga caminata hasta la cima de una montaña, las gemelas de 11 años y sus padres se quitan las mochilas.

El río Alatna fluye por el gran valle que se encuentra al pie de la montaña. Están en el Parque Nacional Gates of the Arctic en Alaska (ver el mapa). Ninguna carretera llega hasta el remoto parque. La familia llegó allí volando en la avioneta de su padre, que despegó de Fairbanks, a unas 200 millas (320 km) al sur.

Lolly y Polly pasan unos días de campamento en la naturaleza, pero no dejarán ni rastro.

"¡Parece que fuéramos las primeras personas que han venido aquí!" dice Lolly.

Las niñas, que son descendientes de esquimales yupik, han esperado mucho tiempo para poder hacer este viaje. Ahora Polly se divierte imaginando que son exploradoras. Señala el final del valle, donde el río desaparece tras un recodo. "Me pregunto qué descubriremos mañana..." dice.

Cerca del río, las niñas encuentran una zona arenosa y llana. Pueden acampar aquí sin causar ningún daño. Su familia practica la "acampada sin dejar rastro". Para las niñas, es todo un juego. "Cuando nos vamos, intentamos que el lugar donde acampamos quede como si nadie hubiera estado allí. No es fácil, ¡pero es divertido!" dicen.

Consejos para acampar sin dejar ni rastro

No todas las áreas silvestres son iguales, por lo que no siempre es posible seguir las mismas reglas en todas partes. Pero aquí te ofrecemos varias sugerencias para que las tengas en cuenta cuando vayas a cualquier área silvestre.

▲ Si encuentras un lugar donde ya se ha acampado, usa el mismo espacio. Si levantas un nuevo campamento, intenta hacerlo donde no haya plantas que puedas dañar.

▶ Lo mejor es cocinar en una estufa de campamento. Si enciendes una fogata, haz una pequeña. Si ya existe un área para fogatas, enciende el fuego allí. Siempre que enciendas una hoguera, hazlo lejos de los árboles, la hierba y otras plantas. Usa solamente pequeños trozos de leña que encuentres en el suelo. Antes de irte, llena de arena o de tierra el agujero donde hiciste la fogata para que el lugar quede igual que como lo encontraste.

◀ Después de cenar, la mamá les pide a las niñas que laven los platos. Los llevan al río y los llenan de arena mojada. ¿Por qué usan arena en lugar de jabón de cocina? El jabón contiene sustancias químicas que pueden contaminar el agua, y la arena funciona como un cepillo que restriega la comida pegada a los platos.

Antes de emprender la caminata de vuelta al avión, las niñas pasan ramitas por el lugar donde estuvo la tienda y la fogata. Desaparece todo rastro. "Ahora, las siguientes personas que vengan pueden ser exploradores también", dice Polly, "¡como si fueran los primeros en descubrir este lugar!"

✓ Escoger la mejor respuesta

Muchas pruebas tienen preguntas con tres o cuatro opciones para escoger. ¿Cómo escoges la mejor respuesta? A continuación hay una pregunta de ejemplo sobre la selección *La cascada*. Usa los consejos para responder a este tipo de preguntas.

Consejos

- Lee las instrucciones con atención.
- Lee la pregunta y **todas** las opciones de respuesta.
- Consulta la selección si es necesario.
- Rellena completamente el círculo de la respuesta.
- Cuando termines la prueba, revisa tus respuestas si tienes tiempo.

Lee la pregunta. Rellena el círculo de la mejor respuesta.

1   ¿Por qué la familia atraviesa el arroyo al principio del cuento?

   ○   Piensan que será divertido y emocionante.

   ●   No quieren tocar el zumaque venenoso que crece en las riberas del arroyo.

   ○   Hace calor y quieren refrescarse.

   ○   Están perdidos en las montañas.

Ahora observa cómo un estudiante dedujo la mejor respuesta.

¿Cómo escojo la mejor respuesta? La respuesta debe decir por qué la familia atreviesa el arroyo.

Las primeras tres respuestas son lógicas, pero no recuerdo haber leído en el cuento la primera ni la tercera. La cuarta respuesta es incorrecta, porque la familia no está perdida.

La segunda respuesta es lógica, y recuerdo que el niño dijo algo sobre el zumaque venenoso. La segunda respuesta es la correcta.

Celebremos las tradiciones

Raíces

mis raíces
las cargo
siempre
conmigo
enrolladas
me sirven
de almohada

por *Francisco X. Alarcón*

La Estatua de la Libertad, 1986
Milton Bond

Celebremos las tradiciones
Contenido

Biblioteca del lector

- **La mesa de la abuelita**
- **Los fabricantes de máscaras**
- **El regalo de la tejedora**
- **Fiestas en Valencia**

Libros del tema

Un barrilete para el día de los muertos
   por Elisa Amado, fotografías de Joya Hairs

Un mundo nuevo
   por D.H. Figueredo
   ilustrado por Enrique O. Sánchez

El tapiz de Abuela
   por Omar S. Castañeda
   ilustrado por Enrique O. Sánchez

Libros relacionados

Si te gusta...

La colcha de los recuerdos
por Patricia Polacco

Entonces lee...

El pollo de los domingos

por Patricia Polacco

(Lectorum Publications

Dos jóvenes quieren darles a sus abuelas un sombrero de Pascua.

La boda de la ratoncita: Una leyenda maya

por Judith Dupré (Santillana USA)

Un ratón papá y una ratona mamá buscan el esposo perfecto para su hija.

Si te gusta...

Anthony Reynoso: Un niño charro
por Ginger Gordon

Entonces lee...

La procesión de Naty

por Gina Freschet

(Mirasol Libros Juveniles)

Una niña celebra una fiesta mexicana con los trajes tradicionales.

Charro

por George Ancona

(Harcourt Brace)

Observa de cerca un día en la vida de un niño vaquero mexicano.

Desarrollar conceptos

PATRICIA POLACCO
La colcha de los recuerdos

La colcha de los recuerdos

Vocabulario

agujas
borde
cosieron
enhebraba
retazos
reunía

Estándares

Lectura

- Identificar datos importantes
- Seguir instrucciones escritas
- Mensaje del autor

Las colchas

Para hacer esta colcha, se **cosieron** dos pedazos de tela con hilo y **agujas**. La costurera que **enhebraba** el hilo debía tener una vista muy aguda. En la confección de colchas se suelen usar **retazos** de ropa vieja de muchos colores para crear diseños. A veces se usan retazos grandes para hacerle un **borde** a la colcha.

Muchas familias tienen colchas hechas en casa. Unas familias sacaban las colchas solamente cuando toda la familia se **reunía**, como en las bodas o en los cumpleaños. Otras personas usan sus colchas todos los días. Las colchas familiares, como la que aparece en la selección que vas a leer, guardan los recuerdos de momentos especiales. Así abrigan por dentro y por fuera.

1 Recorta figuras o diseños.

2 Si quieres, pégales cuentas o botones.

3 Usa agujas enhebradas para coser las figuras.

4 Disfruta de la colcha cuando la termines.

Conozcamos a la AUTORA E ILUSTRADORA

Patricia Polacco

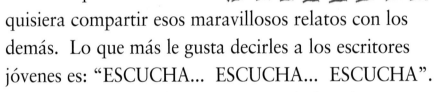

Cuando Patricia Polacco era niña, su familia pasaba largas horas relatando cuentos. Eso hizo que Polacco quisiera compartir esos maravillosos relatos con los demás. Lo que más le gusta decirles a los escritores jóvenes es: "ESCUCHA... ESCUCHA... ESCUCHA".

Después de terminar la universidad, Polacco vivió en Australia, Inglaterra, Francia, Rusia y California. Hoy en día vive en una granja en Michigan con su esposo, sus gatos, dos cabras y un cordero. Sus hijos, quienes ya son adultos, viven a unas cuarenta millas y la visitan con frecuencia.

Otros libros

El pollo de los domingos

My Rotten Redheaded Older Brother

Luba and the Wren

Thank You, Mr. Falker

Puedes aprender más acerca de Patricia Polacco en Education Place. **www.eduplace.com/kids**

PATRICIA POLACCO

La colcha de los recuerdos

Al leer, **evalúa** cómo Patricia Polacco presenta sus sentimientos sobre la colcha y las tradiciones de su familia.

Lectura Características de los personajes

133

Cuando Anna, mi bisabuela, llegó a América, procedente
de Rusia, llevaba puesto el mismo abrigo grueso y las mismas botas
que había utilizado para trabajar en el campo. Pero ahora su
familia ya no trabajaba la tierra. Su padre se dedicaba a vender
cosas que llevaba en un carretón del que tiraba por las calles de
Nueva York, y el resto de la familia se pasaba el día haciendo
flores artificiales.

Siempre había mucha gente en la calle y todo el mundo andaba de prisa. La vida era completamente diferente a la de Rusia. Pero éste era ahora su país, y la mayoría de los vecinos estaban en las mismas condiciones que ellos.

Cuando Anna comenzó a ir al colegio, el inglés le sonaba como cuando se tiran guijarros en una charca: *Shhhhh... Shhhhh... Shhhhh.* Sin embargo, a los seis meses ya hablaba inglés. Y aunque sus padres nunca lograron aprenderlo bien, ella los ayudaba a entenderse con los demás.

Los únicos recuerdos que le quedaban de su Rusia natal eran un vestido y una pañoleta que hacía volar por los aires cuando bailaba.

Pero muy pronto el vestido le quedó chico y su mamá le hizo uno nuevo. Entonces, su mamá cogió el vestido viejo y la pañoleta y, de un cesto de ropa vieja, sacó una camisa del tío Vladimir, un camisón de la tía Havalah y un delantal de la tía Natasha, y dijo:

—Haremos una colcha que siempre nos recuerde nuestro hogar. Así, será como si cada noche nuestra familia de Rusia nos acompañara, como si bailaran a nuestro alrededor.

La mamá de Anna les pidió ayuda a todas las vecinas y, juntas, cortaron y cosieron animales y flores de los retazos de tela. Anna enhebraba el hilo en las agujas y se ocupaba de dárselas a las señoras según las necesitaban. Con la pañoleta de Anna, hicieron un adorno en todo el borde de la colcha.

Los viernes al atardecer, la mamá de Anna rezaba las oraciones que daban comienzo al *Sabbat*. La familia cenaba sopa de pollo y pan de *challah*, y la colcha les servía de mantel.

Cuando Anna creció, se enamoró de Sasha, mi bisabuelo. Y como éste la amaba de verdad, para demostrarle que quería ser su esposo, le obsequió una moneda de oro, una flor seca y una piedra de sal y todo lo ató en un pañuelo de hilo.

El oro representaba prosperidad; la flor, amor; y la sal era para que tuvieran una vida feliz.

Ella aceptó el pañuelo y se comprometieron en matrimonio.

El día de la boda, la colcha sirvió de la tradicional *huppa*, y Anna y Sasha se juraron amor y comprensión mutua bajo su manto. Después de la ceremonia religiosa, los hombres y las mujeres celebraron el acontecimiento por separado.

Cuando nació mi abuela Carla, Anna, su madre, la envolvió en la colcha para darle protección y calor. Y como bienvenida a este mundo, le regalaron oro, una flor, sal y pan. El oro, para que nunca conociera la pobreza; una flor, para que siempre tuviera amor; sal, para que su vida estuviera llena de gozo; y pan, para que jamás supiera lo que es tener hambre.

Con el tiempo, Carla aprendió a observar el *Sabbat,* a cocinar, limpiar y lavar la ropa.

—Algún día te casarás —le dijo Anna a Carla—, y...

ese día llegó y, nuevamente, la colcha sirvió de *huppa* en la boda de Carla con George, mi abuelo. Hombres y mujeres festejaron juntos, pero no bailaron en pareja. Y en el ramo, Carla llevaba pan, sal y una moneda de oro.

Carla y George se mudaron a una granja en Michigan, y la bisabuela se fue a vivir con ellos. Y al nacer la pequeña Mary Ellen, de nuevo la colcha sirvió para darle la bienvenida a este mundo.

Mary Ellen llamaba cariñosamente Doña Abuela a Anna. La bisabuela, muy mayor ya y casi siempre enferma, se calentaba las piernas tapándose con la colcha.

El día que la bisabuela Anna cumplió 98 años de edad, la familia lo celebró con el tradicional bizcocho de frutas y pasas.

Y cuando murió, toda la familia rogó para que su alma ocupara el puesto que merecía en el cielo. Por esta época, Mary Ellen, mi mamá, ya no era una niña pequeña.

Con el tiempo se fue a vivir por su cuenta, llevándose la preciada colcha. Cuando mi mamá se casó, también la colcha sirvió de *huppa*. Fue la primera vez que amigos que no eran judíos, asistieron a una boda en nuestra familia. Mi mamá lucía un elegante traje de chaqueta, y en el ramo de novia llevaba, como era de costumbre, oro, pan y sal.

Y un buen día nací yo, Patricia. Y como era tradición en mi familia, la colcha sirvió para darme la bienvenida al mundo. Y también sirvió de mantel en mi primer cumpleaños.

Cada noche, antes de dormirme, trazaba con mis dedos la silueta de todos los animales de la colcha y le contaba a mamá historias donde ellos eran los protagonistas. Ella, a su vez, me relataba de quién había sido la manga con la que se había hecho el caballo, de quién, el delantal del que se había sacado la gallina, de quién, el vestido floreado de donde se habían hecho las flores y, finalmente, de quién había sido la pañoleta que adornaba todo el borde de la colcha.

A mí me gustaba mucho jugar con la colcha. Me servía de capa en medio de una plaza de toros o de tienda de campaña en el corazón de la selva del Amazonas.

El día de mi boda, se continuó la tradición familiar, pero esta vez, hombres y mujeres bailaron en pareja. En mi ramo de novia había también oro, pan y sal; pero además unas gotas de jugo de uva, para que siempre tuviera alegría.

Años atrás yo cargué en mis brazos por primera vez a Traci Denise con la colcha.

Tres años más tarde, mi mamá sostuvo en sus brazos a Steven John con la misma colcha. Todos estábamos orgullosos del nuevo hermanito de Traci.

Tal como años atrás lo hicieran su mamá, su abuela y su bisabuela, ellos también usaron la colcha para celebrar sus cumpleaños y para ponerla sobre sus hombros simulando capas de los súper héroes.

Con el correr de los años, Traci y Steven fueron creciendo y, cada vez que la familia se reunía, la abuela disfrutaba al relatar la historia de la colcha. Todos sabíamos de dónde procedía el material con que se había hecho cada flor y cada animal. Mi madre incluso tuvo la dicha de poder enseñarles y relatarles la historia de esta preciada colcha a los nietos de mi hermano, sus bisnietos.

Cuando mi madre murió, todos rezamos para que su alma subiera al cielo. Por esta época, Traci y Steven ya eran unos jóvenes a punto de comenzar a vivir su propia vida.

Y ahora, espero el día en que yo también sea abuela, para poder contarles a mis nietos la historia de la colcha de los recuerdos.

PATRICIA POLACCO
La colcha de los recuerdos

Piensa en la selección

1. ¿Por qué la madre de Anna comienza la tradición de la colcha de los recuerdos?

2. Compara la boda de cada hija con la boda de su madre. ¿En qué se parecen y en qué se diferencian las bodas?

3. ¿Qué crees que piensa Patricia Polacco de su familia? Toma ejemplos del cuento.

4. ¿Qué recuerdos familiares guarda la colcha de los recuerdos? ¿De qué otra forma puede una familia guardar sus recuerdos?

5. ¿Por qué crees que Polacco coloreó solamente una parte de cada ilustración?

6. **Conectar/Comparar** ¿Cómo te ayuda este cuento a entender las tradiciones y lo que significan para las familias?

Narrar

Escribe un cuento

Ya sabes lo que siente Patricia Polacco por la colcha de los recuerdos. ¿En qué cambiaría el cuento si la colcha fuera quien lo contara? ¿Qué partes serían iguales? Escribe la versión que contaría la colcha de la historia de la familia Polacco.

Consejos

- **Haz un mapa del cuento para recordar a las personas y los sucesos.**

- **Fíjate bien en las ilustraciones para tomar ideas.**

Lectura Mensaje del autor
Escritura Escribir narraciones

Estudios sociales

Haz un árbol de la familia

Haz el árbol de la familia Polacco. En la parte de arriba, escribe el nombre de los miembros mayores de la familia. Escribe juntos los nombres de las parejas casadas. Luego escribe los nombres de los hijos debajo de los nombres de sus padres. Traza líneas para conectar a los distintos parientes. Consulta el cuento mientras trabajas.

Arte

Haz una colcha de recuerdos de la clase

Celebra el año con una colcha de recuerdos de papel. Crea un cuadro para la colcha con un acontecimiento, persona o lugar que te haya gustado. Luego, con tus compañeros, haz una colcha de la clase con todos los cuadros. Puedes seguir añadiendo cuadros durante el año.

Haz un crucigrama en Internet

Enfrenta un reto de vocabulario. Imprime un crucigrama sobre *La colcha de los recuerdos* en Education Place.

www.eduplace.com/kids

Muñecas huecas

por Marie E. Kingdon

¿Has visto alguna vez una muñeca hueca? Las muñecas huecas están pintadas de colores brillantes, son de madera y se abren en dos: la parte de arriba y la parte de abajo.

¿Sabes por qué se llaman muñecas huecas? Porque cuando abres una primera muñeca, hay otra muñeca dentro. A veces hay dos o tres muñecas dentro. A veces hay cinco, o incluso diez o más. ¿Y sabes cuántas hay en la muñeca hueca más grande del mundo? Setenta y dos. ¿No es increíble? La más grande de ese conjunto de muñecas mide tres pies de altura.

Cuando abres una muñeca, hay otra muñeca dentro.

Algunas de las primeras muñecas huecas se hicieron en China hace muchísimos años. Hay quienes dicen que ya existían hace mil años. Hoy en día, estas muñecas se fabrican en Polonia, en China, en Holanda, en India e incluso en los Estados Unidos. Pero las mejores y las más bonitas son de Rusia, y por esa razón actualmente las conocemos como "muñecas rusas". En Rusia reciben el nombre de "matrioskas". Esta palabra viene de un nombre común para las mujeres de los pueblos rurales de Rusia: "Mastriona" o madre del pueblo. Con frecuencia, a los bebés recién nacidos en Rusia les regalan muñecas rusas o matrioskas.

Algunas muñecas huecas tienen toda una familia dentro: el padre, la madre, la hermana y el hermano. Algunas matrioskas se abren y tienen dentro diez muñecas macizas del mismo tamaño. A esas muñecas se les llama "matrioskas de contar", porque les sirven a los niños rusos para aprender a contar.

Ésta es una familia de muñecas huecas.

Las matrioskas vienen de distintas regiones de Rusia, de la misma manera que diferentes productos estadounidenses vienen de distintos estados. Las muñecas huecas o matrioskas se pintan a mano y llevan la ropa típica de la región donde las hicieron. Algunas llevan delantales y pañuelos o bufandas. Otras llevan flores o cestas. Las muñecas más comunes están pintadas de tonos de rojo y de amarillo y tienen muchas capas de laca que las protege. Otras muñecas están pintadas de distintos tonos de verde y azul, de colores pasteles e incluso de dorado.

Un juego muy fino de muñecas rusas puede llevar en cada muñeca una escena distinta de un cuento de hadas. Estas muñecas narran un cuento con ilustraciones, en lugar de hacerlo con palabras.

Las muñecas huecas son bonitas y es divertido jugar con ellas. Algunos niños tienen colecciones de muñecas huecas. Son muñecas que divierten a todos. Diles a tus amigos lo que has aprendido sobre las matrioskas. Diviértete observando y jugando con estas muñecas de madera tan únicas e interesantes.

Instrucciones

Las instrucciones se escriben para explicarles a los demás cómo hacer algo. Usa la muestra de escritura de esta estudiante cuando escribas tus propias instrucciones.

Los **títulos** de las instrucciones suelen decir de qué trata el trabajo escrito.

Cómo pasar un Día de Acción de Gracias fenomenal

Mi celebración favorita es el Día de Acción de Gracias. Me gusta mucho el Día de Acción de Gracias por todas las cosas que hacemos juntos. Si quieres tener un Día de Acción de Gracias maravilloso, te diré cómo hacerlo.

Una **oración principal** es un buen **principio** para un trabajo escrito.

Primero, despiértate por la mañana y respira profundo. Disfruta el olor a pavo y a camote asado que sale del horno.

Luego, ve a la sala y mira el desfile de

Escritura Oración principal

Acción de Gracias en la televisión.

Observa todas las carrozas FABULOSAS y los globos ENORMES. Te encantará. Yo paso todo el año esperando para ver el desfile.

Después, llega la tarde. Podrías invitar a toda tu familia a disfrutar de una sabrosa comida. En mi casa todos comen, hablan y luego ven el partido de fútbol.

Si sigues estos pasos, tendrás un Día de Acción de Gracias fenomenal, como yo.

Las buenas instrucciones tienen **palabras de secuencia,** como *primero, luego* y *después.*

Es importante comprobar que las instrucciones estén **completas.**

Conozcamos a la autora

Jamie S.

Grado: tercero

Estado: Nueva York

Pasatiempos: jugar a la escuelita

Qué quiere ser cuando sea mayor: maestra

Caballos y lazos

**Anthony Reynoso:
Un niño charro**
por Martha Cooper y Ginger Gordon

**Anthony Reynoso:
Un niño Charro**

Vocabulario

artistas
celebridad
charreada
exhibición
expertos

Estándares

Lectura

- Características de los personajes

Hace mucho tiempo, gran parte del suroeste de los Estados Unidos era de México. Hoy en día, las costumbres y las tradiciones mexicanas aún se celebran en el Suroeste. Una de estas tradiciones es el deporte nacional de México, la **charreada**. En una charreada, los vaqueros, llamados *charros*, demuestran sus destrezas a caballo y con el lazo.

Las charreadas no son el único lugar donde puedes disfrutar de las tradiciones mexicoamericanas. Con frecuencia, los **artistas** participan en una **exhibición** especial para compartir con los demás sus destrezas para montar a caballo, bailar o hacer trucos con el lazo, que han practicado mucho. En la siguiente selección, un niño de Arizona te habla de sus talentos y tradiciones y de cómo los celebra todos los días.

Estas *charras* ▶ o vaqueras, practicaron mucho para aprender a montar a caballo en equipo, como los **expertos**.

◀ Un charro excelente suele convertirse en una **celebridad**, igual que otras estrellas deportivas.

▼ Arizona se encuentra en el suroeste de los Estados Unidos.

Canadá

Estados Unidos

Arizona

Océano Pacífico

Océano Atlántico

Golfo de México

México

Anthony Reynoso:
Un niño charro

por Martha Cooper y Ginger Gordon

Al leer acerca de Anthony Reynoso, piensa en **preguntas** sobre su familia y sus tradiciones que te gustaría comentar más adelante.

Lectura   **Aplicar conocimientos previos**

$\mathcal{M}$e llamo Anthony Reynoso, como mi padre y mi abuelo.
Aquí aparezco con mi papá, quien está junto al caballo
blanco, y con mi abuelo, quien está junto al caballo pinto.
En el rancho de mi abuelo, que está en las afueras de
Phoenix, en Arizona, los tres hacemos trucos con el lazo
y montamos a caballo al estilo de la charreada,
o rodeo mexicano.

En cuanto aprendí a caminar, mi papá me dio una cuerda. Tenía mi propio sombrero y todo el vestuario del charro. Así se llaman los vaqueros mexicanos. Menos mal que empecé a usar el lazo desde que era muy pequeño, porque lleva muchos años aprender a hacerlo bien.

Vivo con mi mamá y mi papá en el pueblo de Guadalupe, que es un pueblito de mexicoamericanos y de indígenas yaqui. Todos mis abuelos viven cerca. Nos ayudarán mucho cuando nazca el bebé. Mi mamá está embarazada.

Conozco un secreto sobre Guadalupe.
En unas rocas que están cerca de mi casa, hay
petroglifos. Mi diseño favorito parece un hombre
con un escudo. Alguien talló estos petroglifos
hace cientos de años. ¿Por qué lo hicieron?
Me pregunto lo que significan los dibujos.

Los domingos por la mañana, la iglesia de la antigua misión mexicana se llena. El día de Pascua, vienen muchísimas personas a ver las ceremonias de los indígenas yaqui, que se celebran en el centro del pueblo. No se pueden tomar fotografías, pero un artista pintó este mural de los bailarines yaqui.

Algunos domingos vamos a Casa Reynoso, el restaurante de mis abuelos. Cuando está muy lleno, mis primos y yo ayudamos. Si hay tiempo, mi abuela me deja ayudarla en la cocina. En Casa Reynoso preparan la mejor comida mexicana del pueblo.

Los días de fiesta los celebramos en el rancho de mi abuelo. Una vez al año nos vestimos de gala para la foto familiar.

Tengo muchos primos. En todos los cumpleaños hay una piñata. Le pegamos con una vara hasta que salen volando todos los caramelos. Luego, nos lanzamos encima para recoger todos los que podamos.

168

Lo mejor del rancho es que practicamos los trucos con el lazo a caballo. Mi papá siempre prueba trucos nuevos... y yo también.

La charreada es el deporte nacional de México. Los charros más famosos de allá son como las estrellas deportivas de acá.

Durante la semana, papá se dedica a diseñar y arreglar jardines, mamá trabaja en una escuela pública y yo voy a la escuela. Espero el autobús en la esquina de la cuadra con los demás niños.

Siempre voy a clases con la tarea hecha. Cuando estudio, no pienso en el lazo ni en montar a caballo. Aparte de mis mejores amigos, creo que nadie en la escuela sabe que soy charro.

En casa todo es diferente. Allí practico mucho con mi papá. Es un buen maestro y me enseña todo lo que su papá le enseñó. Practicamos largas horas para dar funciones en escuelas, en centros comerciales y en rodeos. Somos expertos en pasar el lazo. Nuestra próxima exhibición importante es en Sedona, a unas dos horas de aquí en carro.

Después de practicar con el lazo, jugamos al básquetbol. Mi papá es muy buen jugador.

El viernes después de clase, papá y yo preparamos los lazos para la función de Sedona. Tienen que estar perfectos.

Ya tenemos todo listo para mañana. Ahora puedo descansar y organizar mi colección de tarjetas de jugadores de básquetbol. Decido cuáles quiero comprar, vender e intercambiar. Coleccionar tarjetas de básquetbol es uno de mis pasatiempos favoritos.

Llegó el sábado. Va a empezar la función de Sedona. Me pongo nervioso al ver a los demás artistas. No quisiera enredarme en el lazo delante de toda esta gente. Después del jarabe tapatío, nos toca a nosotros.

Primero sale mi papá... y luego salgo yo. Los mariachis tocan mientras yo hago mis trucos.

Ni siquiera mi papá sabe girar el lazo con los dientes como lo hago yo.

Luego, papá y yo usamos el lazo juntos, como lo
practicamos. No es tan fácil porque llevamos puestos los
sombreros grandes de charro. Cuando papá me pasa el lazo
y yo lo hago girar bien, me dice que me ha pasado la
tradición de la charreada. Ahora me toca a mí continuarla.

Mamá es nuestra admiradora número uno. Siempre
viene con nosotros. Me gusta saber que ella nos está viendo.

A veces los turistas quieren que nos tomemos fotos
con ellos. Me siento como una celebridad.

Tenemos muchísima hambre después del espectáculo.
Recogemos todo y almorzamos algo rápido. Luego vamos
a un lugar muy especial que se llama Slide Rock.

Slide Rock es una resbaladilla natural donde han jugado los niños durante cientos de años, o quizás miles. Hoy hace frío. Preferiría regresar en verano, cuando haga calor. Pero mi papá me tira al agua. ¡Qué frío!

Ya es hora de regresar a casa. La próxima vez que vayamos a Sedona, el bebé ya habrá nacido. Quisiera saber si será niña o niño. ¡Estoy ansioso de que nazca!

Me va a encantar ser el hermano mayor. Pronto
el bebé podrá ponerse mis botas viejas y aprender a
hacer los trucos que yo le enseñe con el lazo.

Conozcamos a la autora
Ginger Gordon

Ginger Gordon es maestra en una escuela de la ciudad de Nueva York. Su primer libro infantil, *My Two Worlds,* trata de una de sus estudiantes, Kirsy Rodríguez. Kirsy inspiró a Gordon con su energía y con su amor por la aventura, igual que Anthony Reynoso.

Conozcamos a la fotógrafa
Martha Cooper

Martha Cooper vive en la ciudad de Nueva York, que es uno de sus lugares favoritos para sacar fotos. En sus fotos aparecen muchos aspectos diferentes de la vida en la ciudad, desde el arte del metro hasta las celebraciones del Año Nuevo chino. Cooper también colaboró con Ginger Gordon en el libro *My Two Worlds.*

Otros libros:
La danza del león: El año nuevo chino de Ernie (por Kate Waters)
The Marble Book (por Richie Chevat)
The Jump Rope Book (por Elizabeth Loredo)

Para descubrir más acerca de Ginger Gordon y Martha Cooper, visita Education Place. **www.eduplace.com/kids**

Piensa en la selección

Anthony Reynoso:
Un niño charro
por Martha Cooper y Ginger Gordon

1. ¿Por qué Anthony practica tanto el uso del lazo? ¿Qué actividades practicas mucho tú?

2. ¿Por qué Anthony no piensa en el lazo ni habla de él cuando está en la escuela?

3. ¿Qué hacen los miembros de la familia de Anthony para celebrar la tradición del lazo?

4. ¿Por qué es importante que Anthony le enseñe al nuevo bebé la tradición del lazo?

5. ¿Qué actividades de Anthony dirías que son tradiciones? Explica tu respuesta.

6. **Conectar/Comparar** Este cuento y *La colcha de los recuerdos* hablan de las tradiciones compartidas. ¿En qué se parecen y en qué se diferencian estas tradiciones?

 Comparar/Contrastar

Haz una comparación

Haz una lista de los pasatiempos e intereses de Anthony. Luego, haz una lista de tus propios pasatiempos e intereses. En un párrafo, explica en qué se parecen y en qué se diferencian tus intereses de los de Anthony. Luego, escribe sobre una actividad de Anthony que te gustaría hacer.

Consejos

- Vuelve a leer las partes del cuento que describen lo que le gusta a Anthony.
- Haz un diagrama de Venn para clasificar las actividades.

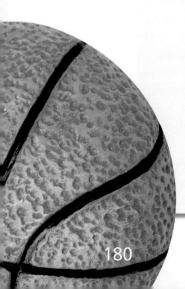

Lectura Características de los personajes
Escritura Hechos y detalles

Dibújate como experto

¿En qué actividad eres un experto? Puede ser tocar un instrumento musical, practicar un deporte o hacer experimentos. Haz un dibujo tuyo en el que muestres tu talento especial. Rotula lo que usas cuando practicas la actividad.

Haz un anuncio

En una charreada, un presentador anuncia a los distintos artistas. Con un compañero, túrnate para representar lo que podría decir el presentador que anuncia a Anthony Reynoso. Di a quién y qué podrá ver el público.

Consejos

- Empieza con: "¡Damas y caballeros!"
- Sé expresivo para captar la atención del público.

Internet

Búsqueda de palabras en Internet

Toma un lápiz y enlaza las palabras que aprendiste en el cuento. Imprime un buscapalabras de Education Place.

www.eduplace.com/kids

Las vueltas del talento

por
Pat Robbins

CHRIS COLWILL, 10 AÑOS

Chris Colwill da un gran salto desde el trampolín. Se concentra en el cielo y luego en el agua para saber cuándo estirarse, salir de su clavado de vuelta y media y entrar en el agua con las manos. A los nueve años, Chris se convirtió en el miembro más joven del equipo nacional estadounidense de las Olimpiadas Juveniles y ganó dos medallas de oro y una de bronce en su primera competencia internacional.

Chris, que tiene problemas auditivos, vive en Brandon, Florida. Practica a diario con un entrenador y después de cada clavado lee los labios del entrenador, quien le da consejos para mejorar. "No me molesta trabajar duro", dice Chris. "Me gusta esforzarme al máximo".

Jazz por todas partes

por
Judith E. Rinard

JAMIE KNIGHT, 10 AÑOS

Cuando la cantante de jazz Jamie Knight sale a escena, no pierde ni un compás. A los nueve años, Jamie se presentó en el Carnegie Hall de Nueva York. El público aplaudió eufórico tras su versión de canciones clásicas del jazz, como "It Don't Mean a Thing If It Ain't Got That Swing". "Me esfuerzo mucho para que el público sienta la música tanto como yo", dice la pequeña artista de Filadelfia, Pensilvania.

Jamie ha cantado en festivales de jazz, ha salido en el programa de televisión *Good Morning America* y ha grabado su propio disco. Canta desde los seis años y le gusta todo tipo de música, pero dice: "El jazz es diferente. Tiene un sabor distinto".

Flamenco fantástico

por
Jane R. McGoldrick

La niña gira. Planta los pies. De repente, con elegancia, lanza una mirada por encima de un hombro y luego del otro. Se llama Elena Chávez. Y baila flamenco, un estilo de baile tradicional del sur de España. Elena se presenta todas las noches al final de un espectáculo de flamenco en la ciudad de Granada, en España, donde vive.

Ha salido en la televisión y ha ganado premios internacionales por su talento para el baile. Combina movimientos de los pies y de los brazos al compás rítmico de guitarras y violines. "En el flamenco, sientes la música y la expresas con el movimiento", dice Elena.

184

Maestros de la música... hasta cierto punto

por
Minna Morse

LA FAMILIA CHOI

La familia Choi, de Calgary, Alberta, en Canadá, es una familia que toca junta y permanece junta. Son músicos de gran talento que practican varias horas al día casi todos los días. "Cuando practicamos juntos, hacemos mucho ruido", dice Rosabel, que está frente al piano.

Cada niño aprendió a tocar el piano primero y otros instrumentos luego. Rosabel, de dieciocho años, toca la flauta. Ha ganado varios concursos musicales nacionales en Canadá y ha tocado con la Orquesta Filarmónica de Calgary.

Edward, de catorce años, toca el clarinete. Piensa seguir en la música como profesional. Los dos Choi más pequeños (Arnold, de nueve años y Estelle, de ocho) tocan el violonchelo. Ambos han ganado premios nacionales de música.

Para tocar tan bien como tocan los Choi, hay que practicar y tener mucha dedicación, además de talento. "Hay que sacrificar mucho tiempo dice Rosabel". "Pero me permito un día a la semana para hacer otras cosas". ¿Y por qué practican tanto los Choi? "Lo hacemos porque nos encanta la música", dice Edward.

La tela que habla
cuento e ilustraciones de
Rhonda Mitchell

La tela que habla

Vocabulario

bordados
colección
realeza
riqueza
símbolos

Estándares

Lectura

- Idea principal y detalles

Tela de Ghana, hecha a mano

✳

Los ashanti son un grupo de personas de Ghana, un país del oeste de África. Los ashanti hacen una tela hermosa llamada adinkra. Antiguamente, la tela de adinkra era muy cara. El tener una tela de adinkra era señal de **riqueza**. La **realeza**, como los reyes y las reinas, la llevaba con frecuencia. Pero hoy en día, los mercados de Ghana están repletos de tela de adinkra.

La tela de adinkra es una manera hermosa de recordar el pasado, y los ashanti se enorgullecen de llevarla. ▶

Una tienda del mercado puede tener una **colección** de muchas telas diferentes.

Partes de la tela de adinkra llevan patrones **bordados** de muchos colores. Otras partes tienen **símbolos** estampados. Cada símbolo tiene un significado diferente. En el siguiente cuento, aprenderás que estos símbolos suelen decir algo de la persona que lleva la tela puesta.

Europa

Asia

África

Ghana

Océano Atlántico

Conozcamos a la
AUTORA E ILUSTRADORA
Rhonda Mitchell

Cumpleaños: 22 de febrero

Dónde nació: En Cleveland, Ohio

Cómo se hizo ilustradora de libros infantiles:
A Mitchell siempre le ha gustado pintar retratos de la gente. Un día, una autora de libros infantiles llamada Angela Johnson le pidió a Mitchell que ilustrara algunos de sus libros. Mitchell lo hizo ¡y le encantó!

Por qué "La tela que habla" es importante para ella:
Mitchell disfrutó tanto al ilustrar libros infantiles, que decidió escribir uno. *La tela que habla* es el primer libro que ha escrito. Y por supuesto, también hizo las ilustraciones.

Otras cosas que le gustan:
Los gatos, el tenis, vivir en un pueblo pequeño

Para averiguar más acerca de Rhonda Mitchell, visita Education Place. **www.eduplace.com/kids**

La tela que habla

cuento e ilustraciones de
Rhonda Mitchell

Estrategia clave

Al leer, **resume** lo que significa la tela que habla
para Amber y para su familia.

Lectura   Identificar datos importantes

189

Mi tía Phoebe tiene muchas cosas. Cosas y cosas y más cosas.

—Es una coleccionista de la vida —dice mi mamá.

Papá dice que vive entre un montón de trastos. —Me recuerda tu cuarto, Amber —dice.

Me gusta ir de visita a casa de mi tía Phoebe. No hay donde aburrirse en su casa y siempre me da moca (café con chocolate) para beber. Mi papá dice que va a pasmar mi crecimiento.

Tía Phoebe le dice: —La moca obtuvo su nombre de una ciudad en Yemen y esta niña acaba de crecer una pulgada o dos, *por dentro*, de sólo saberlo.

Tía Phoebe sabe tantas cosas...

Me cuenta historias de su "colección de la vida" cada vez que la visitamos. Bebo moca a sorbitos mientras la escucho e imagino a la gente y los lugares que ha visto.

Hoy estamos en la cocina y me habla del cesto de telas dobladas que tiene en la esquina. —Las compré en África —dice.

Papá se ríe. —Pensé que era ropa recién lavada que no habías guardado.

Tía Phoebe sonríe y saca una tela del cesto. La desdobla con elegancia: una larga alfombra mágica. Corre por el suelo como un río blanco.

—¿Qué se hace con un pedazo de tela tan largo? —le pregunto.

—Te lo pones —dice tía Phoebe—. Te dice cómo te sientes. Esta tela habla.

—¿Cómo lo hace?

—Con el color y el significado de los símbolos —me dice tía Phoebe—. Esta tela se llama *adinkra* y es de Ghana. La hace el pueblo ashanti, y en una época la llevaba la realeza.

Tía Phoebe me frota la cara con la tela. Es de seda y muy suave. Imagino que soy una princesa ashanti...

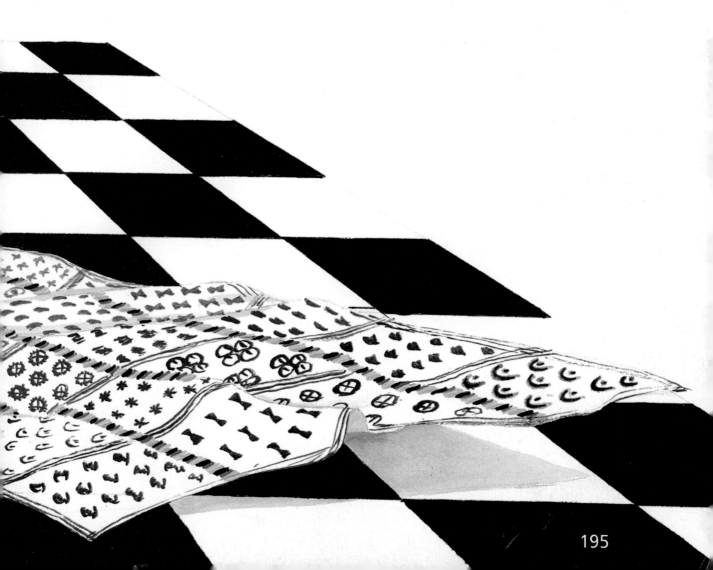

La tela tiene bordados y pequeños símbolos negros estampados por todas partes. Parecen palabras.

Una tela blanca significa alegría y el amarillo significa oro o riqueza. El verde representa todo lo nuevo y el crecimiento. El azul representa el amor, pero el rojo se lleva solamente en ocasiones tristes, como en los funerales o durante la guerra.

—Tal vez debo vestirme de rojo cuando venga tu papá —dice tía Phoebe.

Papá se ríe y se sirve un poco de moca. A él también le gusta escuchar. Yo lo sé.

Tía Phoebe nos dice el significado de varios de los símbolos que aparecen en la tela. Uno dice: "No le temo a nadie sino a Dios". Se llama *Gye Nyame.*

Otro se llama *Obi nka Obie:* "No ofendo a nadie sin motivo".

Cada símbolo nos habla de algo diferente, como la fe, el poder o el amor.

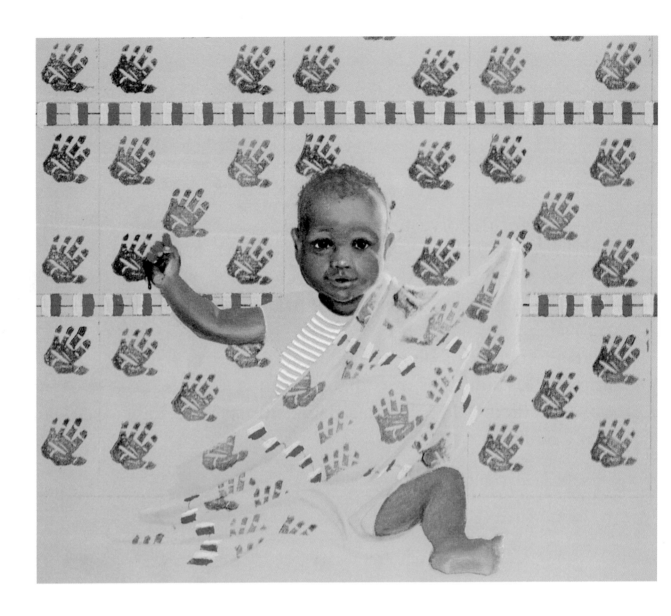

Me imagino telas estampadas con mis propios símbolos.

Fred, mi hermanito, debería llevar puesta una tela verde porque nunca para, con marcas de huellas sucias de las manos por todas partes. Todos podrían ver el desastre que causa siempre en casa.

El hermanito de mi tía Phoebe es mi papá. —A ver —dice—. Podríamos envolverlo en tela de raya diplomática a cuadros ¡por ser tan serio!

Nos reímos todos imaginándolo.

Le pregunto si me puedo poner la tela de *adinkra*.

—Claro que puedes, cariño —dice tía Phoebe—.
Y cuando seas mayor, tendrás una que será tuya.

Me envuelve tres veces por la cintura con la *adinkra*
y luego me la pasa por encima del hombro. Aun así, se
arrastra por el suelo.

—Una tela así de larga es señal de mucha riqueza
—me dice.

—Amber, tendrás que beber mucha moca
para crecer lo suficiente —dice Papá.

—Bueno —dice tía Phoebe—,
¡esta niña ha crecido muchísimo,
por dentro, en el día de hoy
solamente!

199

Sonrío pensándolo. Esta tela significa alegría.
Ahora soy una princesa ashanti, y aquí está toda mi
familia y todos los que hayan llevado antes una *adinkra*...

reunidos a mi alrededor.

La tela que habla
cuento e ilustraciones de
Rhonda Mitchell

Piensa en la selección

1. ¿Por qué crees que a la tía Phoebe le gusta coleccionar cosas?

2. ¿Por qué crees que a Amber le gusta visitar a su tía Phoebe? ¿Te gustaría a ti visitar a tía Phoebe? Explica tu respuesta.

3. ¿Cómo "habla" la tela que habla y qué dice?

4. ¿Qué quiere decir tía Phoebe cuando comenta que Amber ha crecido *por dentro?*

5. Si tuvieras una tela de adinkra, ¿cómo sería? ¿Qué diría tu tela acerca de ti?

6. **Conectar/Comparar** ¿En qué sentido es también la colcha de los recuerdos un tipo de tela que habla?

Escribe la descripción de un personaje

Describe el personaje del cuento que más te guste. Usa datos del cuento para adivinar las actividades, los artículos, la comida y la ropa favoritos del personaje. Usa adjetivos como *serio* o *aventurera* para describir lo que hace el personaje.

Consejos

- Para comenzar, crea una red de palabras sobre el personaje.
- Escribe los detalles más importantes al principio de la descripción.

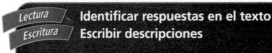

Lectura — Identificar respuestas en el texto
Escritura — Escribir descripciones

Escribe enunciados numéricos

Fíjate bien en las páginas 194 y 195. ¿Cuántos cuadros hay en la tela que habla? Escribe enunciados numéricos para describir el número total de cuadrados. Intenta escribir al menos cuatro enunciados diferentes.

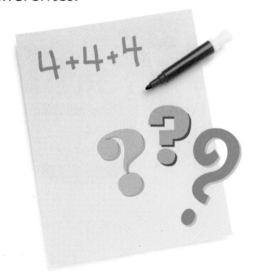

Haz tarjetas con símbolos

Busca cinco símbolos en el salón de clases, el vecindario o tu casa. Dibuja cada símbolo en una tarjeta distinta. Detrás de cada tarjeta, escribe lo que significa el símbolo. Luego, pide a un compañero que adivine el significado de cada símbolo.

Extra **Crea un símbolo que diga algo acerca de ti. Pide a tu compañero que adivine lo que significa.**

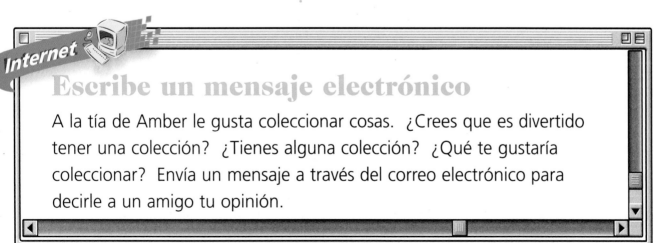

Internet

Escribe un mensaje electrónico

A la tía de Amber le gusta coleccionar cosas. ¿Crees que es divertido tener una colección? ¿Tienes alguna colección? ¿Qué te gustaría coleccionar? Envía un mensaje a través del correo electrónico para decirle a un amigo tu opinión.

Destreza: Cómo seguir una receta

❶ **Pide** a un adulto que te supervise por si necesitas ayuda.

❷ **Lee** la receta con mucha atención.

❸ **Reúne** los ingredientes y utensilios de cocina que vas a necesitar.

❹ **Vuelve a leer** cada paso antes de seguirlo.

❺ **Sigue** los pasos en el orden correcto.

Estándares

Lectura

• **Seguir instrucciones escritas**

Una receta sana de Ghana

por Deanna F. Cook

En Ghana, los cacahuates se llaman "nueces de tierra" porque crecen debajo de la tierra. Los ghaneses comen nueces de tierra (una excelente fuente de proteínas) casi todos los días. Para hacer mantequilla de cacahuate, muelen las nueces de tierra en un mortero. Si tienes un procesador de alimentos, lo puedes hacer más rápido.

Mantequilla de cacahuate casera

2 tazas (500 ml) de cacahuates tostados sin sal

1 cucharada (15 ml) de aceite vegetal

Lo que debes hacer

1 Pon los cacahuates pelados y el aceite vegetal en la taza del procesador de alimentos.

2 Con la ayuda de un adulto, muele los cacahuates durante 3 minutos, o hasta que queden cremosos.

Obtendrás 1 taza (250 ml) de mantequilla de cacahuate natural y cremosa. Guarda lo que sobre en la nevera.

Arco iris bailarines
Relato de un niño pueblo
por Evelyn Clarke Mott

Arco iris bailarines

Vocabulario

ancianos
antepasados
honran
imitan
respeto

Estándares

Lectura

- Idea principal y detalles

DANZAS INDÍGENAS NORTEAMERICANAS

El baile siempre ha sido una parte importante de muchas culturas indígenas norteamericanas. Para aprender a bailar, los niños indígenas norteamericanos **imitan** a los mayores de su familia o comunidad. A veces los **ancianos** les enseñan a los niños danzas tradicionales que se han bailado por muchísimos años.

Las danzas pueden tener muchos significados diferentes. En algunos bailes, los indígenas norteamericanos expresan **respeto** por sus **antepasados**, que vivieron antes que ellos. En otros, **honran** al sol y la tierra.

Con sus danzas tradicionales, los indígenas norteamericanos recuerdan el pasado y comparten sus recuerdos y su historia. El baile es una manera de celebrar la vida.

Esta bailarina indígena norteamericana lleva un traje tradicional cuando baila.

Los jovencitos indígenas, como el niño que aparece en la siguiente selección, disfrutan participando y observando danzas tradicionales.

Conozcamos a la

autora y fotógrafa

Evelyn Clarke Mott

Archivo de datos

▶ Mott nació el 22 de agosto en Portchester, Nueva York.

▶ A los diez años, Mott ganó tres dólares en el concurso de escritura de un periódico.

▶ Para escribir el libro *Balloon Ride*, Mott tuvo que montarse en un globo de aire caliente. Sólo tuvo un problema: le tenía miedo a las alturas. Al principio, le fue difícil tomar fotos porque le temblaban las manos y los pies. Después de un rato, se le pasó el miedo y pudo terminar el libro.

▶ A Mott también le gusta la música, el arte, las excursiones, los viajes y observar las estrellas.

Para conocer más acerca de Evelyn Clarke Mott, visita Education Place. **www.eduplace.com/kids**

208

Arco iris bailarines
Relato de un niño pueblo
por Evelyn Clarke Mott

¿Qué importancia tienen la danza, la lluvia y los arco iris para Curt y su familia? Al leer, **revisa** tu comprensión. Lee de nuevo si quieres **aclarar** cualquier confusión.

Es la víspera del Día del Banquete. Curt y su abuelo, Andy, están muy emocionados. Todos los años, el 24 de junio, su pueblo celebra una gran fiesta con comida, diversión y bailes.

Curt y Andy García son indígenas pueblo. Pertenecen a la tribu tewa. Viven en San Juan Pueblo, en Nuevo México.

San Juan Pueblo recibe su nombre de San Juan, el santo patrón del pueblo. El Día del Banquete, los bailes nativos honran al santo patrón y celebran el sol de verano.

Los antepasados de Curt eran agricultores. Cultivaban elote, frijoles y calabazas. Hoy en día, casi todos los tewa trabajan fuera del pueblo, pero algunos todavía cultivan la tierra.

—Debemos cuidar siempre de nuestra tierra —le dice Andy a Curt—. Debemos mostrar respeto por la madre tierra.

Curt pasa mucho tiempo con su abuelo. Aprende
muchísimo. Se ríen con frecuencia cuando están juntos.

Andy es uno de los ancianos de la tribu. Eso significa
que es muy respetado. Su gente lo conoce por ser un
bailarín estupendo. —Debes bailar con todo el corazón
—dice Andy.

Todas las danzas tewa son plegarias. El pueblo tewa baila para curar a los enfermos, para dar gracias, para unir a la tribu, para rezar por una buena cosecha y para divertirse. Como la tierra de los tewa es muy seca, todos los bailes son también una oración por la lluvia.

—¡Démonos prisa, abuelo! —dice Curt—. Es hora de la Danza de los Búfalos. Curt y Andy se apresuran para llegar a la plaza.

La plaza está en el centro del pueblo. Allí se reúne la tribu. Tres personas bailan, vestidas de búfalos.

Los tewa creen que hace mucho tiempo, las personas y los animales hablaban el mismo lenguaje. Esto cambió cuando las personas empezaron a perder el respeto por los animales. Los tewa muestran respeto por todos los animales con la Danza de los Búfalos. Este baile bendice el Día del Banquete que tendrá lugar mañana. Dicen que le da fuerza y poder a la tribu.

Cuando llegan a su casa, el aroma del pan recibe a Curt y a Andy. Para el Día del Banquete, la mamá de Curt y otros miembros de la familia hacen entre todos más de setenta hogazas de pan. Las hacen en un horno especial para el pan, los pasteles y las galletas. El horno tiene forma de colmena.

El horno está fuera de la casa. La mamá de Curt enciende el fuego para calentar el horno. Luego, limpia las cenizas y mete la masa dentro.

La masa se cuece dentro del horno caliente. La mamá de Curt saca el pan caliente. Los perros esperan ansiosos junto al horno, con muchas ganas de probarlo.

La casa de los García huele a guisos, a pan, a pasteles y a dulces. ¡Todos esperan ansiosos el banquete de mañana!

Andy se levanta temprano el Día del Banquete. Reza en las colinas. Reza por una mente buena, un corazón bueno y una vida buena. Esparce un poco de harina de maíz como regalo a la tierra.

Hoy el día amaneció radiante y soleado. Pero aunque lloviera, todos bailarían. Los tewa creen que la lluvia es señal de buena suerte. Dicen que sus antepasados regresan en las gotas de lluvia para ayudarlos a vivir.

Los arco iris también son señal de buena suerte. Unen a la madre tierra con el padre cielo.

En poco tiempo se despiertan todos los García y se dan prisa para prepararse. Verna, la esposa de Andy, le echa un poco de sal en la cabeza. Dice que así ahuyentará a los espíritus del mal.

Andy le pinta la cara a Curt. Curt se pone una piel de zorro en la cabeza y su traje comanche.

Andy se ajusta la ropa. Se ata el tocado de plumas a la cabeza. Cuando están todos listos, los García van a la plaza.

¡BUM! ¡BUM! ¡BUM! Varios hombres con tambores van pasando entre la multitud.

Los indígenas dicen que los tambores tienen muchos poderes. Creen que los tambores representan el latido del corazón de la madre tierra. Los que tocan los tambores se pintan las manos de blanco para que el redoble del tambor tenga más fuerza.

Los que tocan los tambores cantan en tewa. Cantan sobre muchas cosas: plantas, animales, nubes, arco iris. Intentan cantar como los pájaros. El canto de los pájaros es hermoso.

Comienza la Danza Comanche. Más de cien tewas, desde los tres hasta los ochenta años de edad, mueven los pies al ritmo del tambor.

En este baile, imitan a los guerreros comanches, representando una batalla. Los bailarines rezan por la tribu tewa y dan gracias por todo lo que tienen.

Los colores giran y se arremolinan.

Andy baila con orgullo.

Los tewa bailan para dar gracias al Gran Espíritu. Rezan por la felicidad de su tribu y por la madre tierra.

Tilín... tilín... tilín. Suenan cascabeles cuando Curt mueve los pies. Él piensa en las palabras de su abuelo: "Un tewa nunca baila para su propio beneficio. Baila por todas las cosas y por todos los hombres". Curt lanza oraciones a la multitud. Les desea una vida buena y un buen viaje a casa.

En 1923, se prohibieron las religiones indígenas en los Estados Unidos. Los tewa ya no podían visitar sus kivas, los lugares adonde iban a rezar. Los indígenas no podían bailar. Todos los bailes indígenas se consideraban danzas de guerra. En 1934 los indígenas pudieron bailar de nuevo.

Actualmente, la bandera ondea con orgullo el Día del Banquete. Muchos tewa han luchado por su país. Algunos bailarines muestran el orgullo por su país.

Las mujeres tewa bailan con gracia. Para celebrar el poder del sol, se pintan soles rojos en las mejillas.

Los hombres gritan con fuerza durante la Danza Comanche. Visten trajes muy elaborados.

Bailar honra a los niños tewa. Aprenden a bailar en cuanto empiezan a caminar. Por eso son bailarines buenos y vigorosos.

Los trajes tienen muchos significados distintos. Los caracoles suenan como olas. Las borlas parecen gotas de lluvia. Los cascabeles suenan como la lluvia. Los diseños bordados parecen nubes.

Los bailarines van a sus casas para el banquete. Los hogares de los tewa se llenan de amigos y parientes. Hay muchas cosas que comer. Andy dice que no oye a nadie hablando. Sólo los oye masticar.

Después del banquete, todos se reúnen en la plaza. Bailan de nuevo bajo el sol implacable. Cuando el sol se pone, los bailarines regresan a sus casas.

A veces, Curt y Andy practican sus bailes. Andy le enseña a Curt cómo hacerlo. Curt siente mucho respeto por su abuelo porque es muy sabio. Curt quiere ser como su abuelo.

Curt y sus hermanos hacen la Danza de las Águilas. Bajan en picada, remontan el vuelo, aterrizan, dan vueltas y descansan. Siguen a la perfección el ritmo del tambor.

El águila alcanza una altura mayor que la de ningún otro pájaro. Los tewa creen que las águilas son mensajeras. Dicen que las águilas llevan oraciones a las nubes y traen mensajes de vuelta a la tierra. Los tewa bailan para dar gracias a la grandiosa ave.

Andy fundó un grupo de danza para Curt y otros bailarines tewa jovencitos. El grupo suele bailar fuera del pueblo, en ferias, escuelas, hospitales y en "Powwows", que son asambleas indígenas.

Al día siguiente del Día del Banquete, Curt baila en una feria de la ciudad. Dice que no le importa donde baile: sus oraciones alcanzan las nubes dondequiera que esté.

Curt siente mucho orgullo de ser tewa. Sus antepasados le han dejado muchísimos regalos. Hermosos cantos. Danzas llenas de colorido. Curt se alegra de seguir los pasos de su abuelo. Baila por la lluvia. Y por los arco iris.

Arco iris bailarines
Relato de un niño pueblo
por Evelyn Clarke Mott

Piensa en la selección

1. ¿Por qué crees que Curt respeta a su abuelo y quiere ser como él?

2. ¿Por qué crees que Andy fundó un grupo de danza para jovencitos tewa?

3. ¿Cómo sigue Curt el consejo de su abuelo de "bailar con todo el corazón"? ¿Qué actividad haces *tú* con todo el corazón?

4. ¿Qué quiere decir Andy cuando explica: "Un tewa nunca baila para su propio beneficio. Baila por todas las cosas y por todos los hombres"?

5. ¿Qué hace Andy para enseñarles cosas del pasado a los más jóvenes de la familia? ¿De qué manera aprendes *tú* sobre el pasado?

6. **Conectar/Comparar** Compara las maneras en que Curt y Anthony Reynoso honran a sus antepasados y comparten sus tradiciones.

Explicar

Escribe una explicación

¿Cómo se preparan Curt y su familia para el Día del Banquete? Escribe una explicación que diga lo que hace cada persona al prepararse para la celebración.

Consejos

- Para empezar, vuelve a la selección y toma notas.
- Organiza la explicación por tema, ideas principales e ideas secundarias.

Lectura Aplicar conocimientos previos
Estudios sociales Describir tradiciones folklóricas

Relaciona la geografía con tu comunidad

Con un grupo pequeño, fíjate en la foto grande de las páginas 216 y 217. Describan el terreno y el clima del lugar donde viven Curt y Andy. Comenten cómo el ambiente que los rodea a ellos afecta la vida de esa comunidad. Luego, comenten cómo el ambiente que los rodea a ustedes afecta la vida de su propia comunidad.

Dibuja el ciclo del agua

¿De dónde viene la lluvia y adónde va? Dibuja un diagrama para explicar el ciclo del agua. Dibuja la tierra, el agua, el sol, el aire, las nubes y la lluvia. Usa flechas para indicar la ruta que sigue el agua. Rotula todas las partes del ciclo. Busca información en una enciclopedia o en un libro de ciencias.

Extra Indica cómo cambia el ciclo del agua durante las distintas épocas del año.

Internet

Envía una postal electrónica

Elige una de las tradiciones que has descubierto en este tema. Envíale a un amigo o amiga una postal electrónica y cuéntale sobre la tradición. Encontrarás una en Education Place. **www.eduplace.com/kids**

Ciencias **Evaporación y descongelamiento**

**Destreza:
Cómo seguir instrucciones**

1 **Lee** todas las instrucciones con atención.

2 **Reúne** los materiales que necesites.

3 **Observa** las ilustraciones para entender mejor.

4 **Sigue** los pasos en el orden correcto.

5 **Vuelve a leer** cada paso mientras trabajas.

Estándares

Lectura

• **Seguir instrucciones escritas**

Ciencias

• **Luz reflejada**

La lluvia y los arco iris

por Neil Ardley

¿Por qué aparece un deslumbrante arco de colores cuando llueve y sale el sol al mismo tiempo? Puedes averiguarlo si alumbras una pecera llena de agua con la luz del sol.

¿Lo sabías?

Puedes ver un arco iris en la lluvia si tienes el sol detrás. Cada gota de lluvia es un cuerpo redondo de agua que divide la luz del sol en diferentes colores y los refleja en tu dirección.

Hacer un arco iris

Lo que necesitas:

Pecera llena de agua **Cartón negro** **Cartón blanco**

1. Pon una mesa en un lugar soleado. Coloca el cartón negro sobre la mesa y ponle la pecera encima.

2. Sujeta el cartón blanco verticalmente junto a la pecera. Sujétalo de manera que la sombra quede del lado en que estás. ¡Aparece un arco iris en el cartón!

Cuando la luz del sol atraviesa el cuerpo redondo de agua, se divide en los colores del arco iris, que se reflejan en el cartón.

Completar el espacio en blanco

En algunas pruebas hay preguntas en las que tienes que completar una oración. Tendrás tres o cuatro opciones de respuesta para escoger. ¿Cómo escoges la mejor respuesta? A continuación hay una pregunta de ejemplo sobre la selección *Arco iris bailarines*. La respuesta correcta aparece marcada. Usa los consejos para responder a este tipo de preguntas.

Consejos

- Lee las instrucciones con atención.
- Lee la oración en silencio usando cada respuesta para completar el espacio en blanco.
- Vuelve a consultar la selección si es necesario.
- Rellena completamente el círculo de la respuesta.
- Cuando termines la prueba, revisa tus respuestas si tienes tiempo.

Lee la pregunta. Al final de la página, rellena el círculo de la respuesta apropiada para completar la oración.

1   **Curt pasa mucho tiempo con su abuelo porque —**

(A) Andy es un anciano de la tribu.

(B) a Curt le gusta llevar trajes especiales.

(C) Curt aprende muchísimo de su abuelo.

(D) Andy fundó un grupo de baile.

FILA DE RESPUESTAS 1   (A) (B) ● (D)

Lectura   **Identificar respuestas en el texto**

Ahora observa cómo una estudiante dedujo la mejor respuesta.

Las respuestas **A** y **D** no dicen por qué Curt pasa tiempo con Andy. La respuesta **B** puede ser cierta, pero no es tan importante. Cuando leo la respuesta C, veo que dice una idea principal importante de la selección.

¿Cómo decido cuál es la mejor respuesta? Debe decir por qué Curt pasa mucho tiempo con Andy.

La **C** es la mejor respuesta. Dice la razón más importante por la que Curt pasa su tiempo con Andy.

Cuentos folklóricos

Los cuentos folklóricos son parte de la tradición. Personajes inteligentes y una gran cantidad de travesuras hacen que estos cuentos sean muy populares en todas las culturas del mundo.

En algunos cuentos folklóricos...

- un animal o una persona astuta le hace una broma a otros personajes;
- el personaje que hace la broma tiene una o más características principales, como la glotonería o la fanfarronería;
- el lenguaje suena como si alguien estuviera narrando el cuento en voz alta.

Contenido

La araña hambrienta

Cuento africano (de la tribu ashanti)

narrado por Pleasant DeSpain
ilustrado por Daniel Moreton

¡**A**raña *tenía hambre!* Ella siempre tenía hambre. Araña era muy glotona. Todos los animales sabían que a la hora de comer Araña hacía muchas travesuras, y para Araña siempre era hora de comer.

Un día Tortuga salió de su casa en el lago y se fue de viaje. Viajó lentamente por la selva y por fin llegó a la casa de Araña. Ellas no se habían conocido antes, así que no muy convencida Araña invitó a cenar a Tortuga. A Araña le gustaba hablar con desconocidos, pues siempre se sabían cuentos interesantes. Pero a ella le disgustaba mucho invitarlos a comer porque se comían la comida que quería para ella sola.

—Amiga Tortuga —dijo Araña—, debes estar muy cansada después de tan largo viaje. Anda al río y refréscate, mientras yo preparo la comida.

—¡Qué amable eres! —dijo Tortuga—. Me daré prisa porque tengo mucha hambre.

Tortuga siguió el camino hasta el borde del agua y se metió dándose prisa. ¡Qué bueno era refrescarse y estar limpia de nuevo! Tortuga se salió del río y regresó rápidamente a la casa de Araña. Olía delicioso. ¡Era hora de comer!

Tortuga entró a la casa y vio la comida en la mesa.
—Gracias por invitarme, Araña —dijo—. No he comido nada en todo el día.

—De nada, Tortuga —dijo Araña frunciendo el ceño—. Pero en esta parte del mundo nadie se sienta a la mesa con los pies embarrados.

Tortuga se miró los pies y se dio cuenta de que estaban cubiertos de lodo. Sus pies estaban mojados cuando salió del río y en el camino había mucha tierra. Se sintió muy avergonzada. Se disculpó y regresó al río para lavarse los pies. Los secó muy bien con el pasto y regresó rápidamente a la casa de Araña. ¡Araña se había comido toda la comida! Tortuga se sintió decepcionada, pero como era muy educada decidió no quejarse. Esa noche, se acostó a dormir muy hambrienta y a la mañana siguiente regresó a su casa, y tenía aun más hambre.

Meses más tarde, Araña hizo un largo viaje. Llegó a la casa de Tortuga y le preguntó si podía quedarse allí esa noche.

—Por supuesto Araña —dijo Tortuga—. Recuerdo lo amable que fuiste conmigo.

—Estoy muerta de hambre —dijo Araña—. ¿Podemos comer ahora mismo?

—Iré al fondo del pozo y prepararé un banquete —dijo Tortuga—. Espera aquí y yo te llamo cuando todo esté listo.

Tortuga preparó su comida más sabrosa y la colocó en una mesa larga en el fondo del pozo. Luego nadó a la superficie y dijo: —Araña, ven conmigo.
La cena está servida.

Araña saltó al agua e intentó sumergirse, pero era tan liviana que no podía. Tortuga ya había comenzado a comer y aunque Araña chapoteó y pataleó con todas sus fuerzas, no pudo bajar al fondo.

Tortuga nadó a la superficie. —Amiga Araña, ven al fondo para comer —dijo—. La comida está muy rica.

A Araña se le ocurrió una idea. Regresó al borde del pozo y recogió varias piedritas pesadas. Las puso en los bolsillos de su abrigo para que hicieran peso. Araña saltó de nuevo al agua y se hundió hasta el fondo. Sólo quedaba la mitad de la comida y se veía deliciosa. Cuando dio el primer bocado, Tortuga dijo: —Amiga Araña, en esta parte de la selva es de muy mala educación comer con el abrigo puesto.

Araña no quería parecer maleducada, así que se quitó su abrigo y tomó otro bocado. Pero justo antes de que pudiera comérselo, salió disparada como un corcho hacia la superficie. Araña gritó mientras flotaba hacia arriba y veía a Tortuga en el fondo del pozo comiendo el resto de la comida.

Dicen que cuando se es amable, los demás son amables con uno.

La carrera de Conejo y Tortuga

narrado por Gayle Ross
ilustrado por Murv Jacob

Es cierto que a Conejo le encantaba alardear y exagerar sobre todo lo que podía hacer, pero todo el mundo sabía que de veras era un corredor muy rápido. A Tortuga también le encantaba presumir y un día le dijo a la gente que ella podía correr más rápido que Conejo.

Conejo supo lo que Tortuga había dicho, y los dos comenzaron a discutir tan fuertemente que todo el mundo decidió que la mejor forma de resolver el problema era haciendo una carrera entre los dos. Tortuga y Conejo correrían por encima de cuatro montañas, y el que lo hiciera primero sería el ganador.

Nunca nadie había visto a Tortuga moverse rápido; al contrario, siempre se movía muy lentamente, por lo que Conejo estaba seguro de que ganaría la carrera. Tan seguro estaba que le dijo a Tortuga: —Tú sabes que no puedes correr. Nunca podrías ganarme una carrera. Dejaré que corras desde la segunda montaña. Solamente tendrás que correr por encima de tres montañas, y yo correré las cuatro.

Tortuga aceptó la propuesta de Conejo pero esa misma noche llamó a todos sus familiares.

—Tienen que ayudarme a hacer algo para que Conejo deje de presumir tanto —dijo Tortuga. Tortuga les explicó su plan y ellos aceptaron ayudarla.

El día de la carrera, todos los animales se reunieron. Unos se quedaron en el punto de partida para ver a los corredores comenzar la carrera. Otros esperaron en la cuarta montaña para declarar al ganador. Conejo se paró en el punto de partida y Tortuga ya había salido hacia la cima de la segunda montaña, como habían acordado. Los demás solamente podían ver la espalda brillante de Tortuga que se movía entre la hierba. Se dio la señal y comenzó la carrera.

Conejo salió disparado desde el punto de partida dando largos saltos. Esperaba encontrarse a Tortuga antes de que siquiera llegara a la cima de la primera montaña. Se sorprendió mucho cuando llegó al tope de la montaña y vio a Tortuga que desaparecía de la cima de la siguiente montaña.

Conejo corrió más rápido todavía y cuando llegó a la segunda montaña miró a su alrededor. Esperaba ver a Tortuga en el pasto. Miró hacia arriba y vio el caparazón brillante de Tortuga que pasaba la tercera montaña.

Conejo estaba realmente sorprendido y comenzó a preocuparse. Dio los saltos más largos que pudo para adelantarse. Cuando llegó a la cima de la tercera montaña, estaba tan cansado que se dejó caer y no le quedó más que llorar cuando vio a Tortuga llegar a la cuarta cima y ganar la carrera.

Los otros animales declararon a Tortuga como la ganadora y se preguntaban cómo Tortuga, que era tan lenta, le había ganado la carrera a Conejo. Tortuga sonrió y no dijo nada. La respuesta era muy simple.

Todos los familiares de Tortuga se parecen mucho, así que Tortuga le dijo a cada uno que se colocara cerca de las cimas de las montañas. Cuando Conejo se veía en la distancia, un familiar de Tortuga corría hacia la cima de la montaña y se escondía en el pasto. Tortuga corrió hacia la cuarta cima y cruzó la llegada.

Así Tortuga ganó la carrera con un pequeño truco personal. Pero si esperaba lograr que Conejo dejara de presumir, quedó muy decepcionada, pues nadie lo ha logrado.

Tía Zorra y los peces

narrado por Rafael Rivero Oramas
ilustrado por Richard Bernal

Un día, muy de mañana, Tío Zorro andaba por el bosque y, al pasar junto a un río, vio una gran cantidad de peces nadando dentro de un pozo. Entusiasmado, se puso a pescar y eran tantos los peces y estaba tan hambriento, que en muy corto tiempo pescó tres hermosas guabinas.

Muy contento se fue a su casa y le dijo a su mujer:

—¡Tía Zorrita, mira qué suerte tuve hoy!

—¡Oh, que guabinas tan enormes! —exclamó Tía Zorra, relamiéndose de gusto.

—Sí, son tan grandes que bastará con una sola para cada uno de nosotros. Por eso he pensado en convidar a Tío Tigre para almorzar; conviene tenerlo siempre agradado.

—Como tú digas, querido Tío Zorro. Freiré con mucho esmero las guabinas. ¡Quedarán muy ricas! Ve a invitar a Tío Tigre.

Tío Zorro se frotó las manos satisfecho, y salió en busca de Tío Tigre.

Tía Zorra se puso a preparar los peces.

Cuando estuvieron bien fritos, era tan apetitoso el olor que despedían que murmuró: —Voy a probar la guabina que me toca, a ver si ha quedado bien de sal. Un pedacito nada más; pues sería muy feo si me la como toda antes de que llegue Tío Zorro con el invitado.

Comenzó a pellizcar el pescado, y lo encontró tan sabroso que se olvidó de cuanto había dicho. En pocos segundos el plato quedó limpio.

—Estaba deliciosa. Es necesario que pruebe la de Tío Zorro; él es muy delicado, y si la guabina suya no está bien frita, seguro que se molestará.

Se comió la colita tostada, luego una aletica, después la cabeza, y, cuando vino a fijarse, toda la guabina de Tío Zorro había desaparecido.

—¡Dios mío, me la he comido entera! —exclamó—.

Pero el daño está hecho; ya no importa que me coma también la última.

Y se la comió, igualmente.

Al fin, llegó Tío Zorro acompañado de Tío Tigre y le preguntó a su mujer:

—¿Has preparado ya las guabinas?

—¡Claro que sí! Las tengo todavía puestas al fuego para que no se enfríen, mintió ella.

—Sírvelas pronto, que tenemos mucho apetito. ¿Verdad Tío Tigre?

—Indudablemente, Tío Zorro. Yo, por lo menos... Y con el olorcito a pescado frito que hay aquí...

—Voy a poner la mesa. Siéntese allí, Tío Tigre. Ése es su puesto.

—Gracias, Tía Zorra.

Tío Tigre se sentó, y Tía Zorra llamó aparte a su marido.

—Anda al patio y afila bien los cuchillos, pues las guabinas eran muy viejas y han quedado sumamente duras.

Tío Zorro corrió al patio, y a los pocos momentos empezó a escucharse el ruido que hacían los cuchillos contra la piedra de afilar.

Tía Zorra se acercó a Tío Tigre y le dijo:

—¿Escucha usted? Es que mi marido está afilando un cuchillo. Se ha vuelto loco y tiene la manía de comerse las orejas suyas, Tío Tigre; para eso lo ha traído a usted aquí. ¡Huya, antes de que él regrese, por favor!

Tío Tigre se llenó de espanto y salió de la casa a todo correr.

Entonces Tía Zorra comenzó a gritar:

—¡Tío Zorro, Tío Zorro! Ven pronto, que Tío Tigre se llevó todas las guabinas.

Tío Zorro, con un cuchillo en cada mano, echó a correr detrás de Tío Tigre.

—¡Tío Tigre, Tío Tigrito! —le decía— . ¡Déme siquiera una solita!

Y Tío Tigre, creyendo que Tío Zorro se refería a sus orejas, apretó el paso, lleno de miedo, y no paró hasta que estuvo bien seguro en su casa.

Crear

Escribe tu propio cuento folklórico

Escoge un animal astuto de un cuento folklórico.
Puedes usar un animal de los cuentos que acabas de
leer o escoger otro animal de otro cuento popular,
como el lobo o el coyote. ¿Cómo será tu personaje:
glotón, fanfarrón, inteligente o mal educado? Decide
qué otros animales incluirás en tu cuento. ¿A quién
le harán una broma en esta lucha de ingenio: a tu
personaje o a los
demás personajes?

Consejos

- **Usa un mapa del cuento para organizar los elementos de tu relato.**
- **Presenta a los personajes, el ambiente y el problema con pocas oraciones.**
- **Presenta los sucesos de la trama de manera rápida y simple.**
- **Escribe muchos diálogos.**

Escritura | **Escribir narraciones**
Detalles que desarrollan la trama

Lee estos cuentos folklóricos

Coyote: Un cuento folklórico del sudoeste de los Estados Unidos

por Gerald McDermott (Harcourt Brace)

Coyote convence a los cuervos para que lo ayuden a volar.

Cuenta ratones

por Ellen Stoll Walsh (Fondo de Cultura Económica)

Diez ratones muy listos se burlan de una serpiente que los tiene atrapados y quiere comérselos.

Los tres pequeños jabalíes/ The Three Little Javelinas

por Susan Lowell (Northland)

Tres cerdos se burlan de un coyote que sabe trucos de magia.

Historias increíbles

"El que lee mucho y anda mucho,

ve mucho y sabe mucho".

Miguel de Cervantes

256

Historias increíbles

Contenido

Biblioteca del lector

- **Robogato**
- **El dragón de Cracovia**
- **Mi pulgar verde**
- **Luna**

Libros del tema

El señor Viento Norte
*por Carmen de Posadas Mañé
ilustrado por Alfonso Ruano*

El viejo y su puerta
por Gary Soto, ilustrado por Joe Cepeda

Diecisiete cuentos y dos pingüinos
*por Daniel Nesquens
ilustrado por Emilio Urberuaga*

Libros relacionados

Si te gusta...

Dogzilla
por Dav Pilkey

Entonces lee...

Hally Tosis: El horrible problema de un perro

por Dav Pilkey (Editorial Juventud)

El aliento de Hally huele tan mal que hasta los zorrillos se tapan la nariz.

El monstruo de la oscuridad

por Uri Orlev (SM)

Un niño tiene miedo de la noche cuando sus papás apagan las luces y un monstruo sale de debajo de la cama.

Si te gusta...

El gigante misterioso de Barletta
por Tomie dePaola

Entonces lee...

Alex quiere un dinosaurio

por Hiawyn Oram
(Fondo de Cultura Económica)

Alex quiere un dinosaurio de mascota y su abuelo lo lleva a la tienda Dino donde Alex selecciona a Fred.

Strega Nona

por Tomie DePaola
(Everest)

Un cuento tradicional que enseña a los niños lo que le pasó a Antonio por no obedecer.

Desarrollar conceptos

Dogzilla
escrita y dirigida por Dav Pilkey

Dogzilla

Vocabulario

colosal
criatura
escalofriante
espantosa
gran
heroicas
monstruosa

Estándares

Lectura

- Identificar géneros literarios
- Características de los personajes

262

MONSTRUOS DE PELÍCULA

¡Cuidado! Puede ser escalofriante ver a una criatura enorme que destruye todo lo que encuentra en su camino, aunque no sea de verdad. Por eso una película de monstruos puede ser espantosa, pero a la vez divertida.

Un monstruo de película asusta a todos con su gran tamaño y fuerza. Para derrotar a un monstruo, las personas deben ser inteligentes y valientes. Deben hacer cosas heroicas para salvarse, salvar su ciudad e incluso al mundo. Pero es posible; se trata simplemente de un poco de espantosa diversión.

Un monstruo de película sorprende a estos niños en 1954.

El cuento que vas a leer se basa en un famoso monstruo de película llamado Godzilla. Godzilla es un lagarto colosal de 300 pies de altura, que echa fuego por la boca.

Godzilla apareció por vez primera en el cine en 1954. Su figura monstruosa y su rugido sonoro todavía asustan a la gente hoy en día.

263

Dogzilla

escrita y dirigida por Dav Pilkey

El autor considera este cuento "extremadamente absurdo". ¿Estás de acuerdo con él? **Evalúa** las palabras y las ilustraciones que utiliza para hacerte pensar eso.

Las estrellas de *Dogzilla* son las mascotas del autor.
Ningún animal sufrió daño alguno durante la producción de este libro.

Protagonizado por

FLASH
como el Jefe

RABIES
como la
Profesora Rizo
Escarlata

Actuación
especial de
DWAYNE
como el Soldado Raso

LEIA
como El Monstruo

EA	ESTE LIBRO HA SIDO CLASIFICADO COMO
	EXTREMADAMENTE ABSURDO
Partes del cuento pueden parecerles demasiado absurdas a los adultos.	

Era verano en la ciudad de Ratonópolis,

y los ratones de todos los rincones de la comunidad se habían
reunido para competir en la Primera Barbacoa Anual.

A medida que la competencia avanzaba, el humo de las parrillas calientes elevaba el irresistible aroma de la salsa de barbacoa sobre los tejados de la ciudad.

Una suave brisa esparcía ese olor que hace agua la boca, justo sobre la cima de un antiguo cráter. En un dos por tres, se escuchó un extraño y misterioso sonido: "Sniff... sniff. Sniff... sniff sniff sniff sniff..."

En un abrir y cerrar de ojos, el volcán empezó a temblar.

De repente, de las profundidades de la tierra, surgió la más espantosa criatura jamás conocida por la ratonidad: ¡la temible perrasaurio Dogzilla!

De inmediato, se enviaron soldados para detener a la
poderosa bestia. Las heroicas tropas estaban dirigidas por su
valiente comandante, el Jefe.

—Oye, tú, saco de pulgas —chilló el Jefe—. ¡Patas arriba!
¡Estás detenido!

Sin aviso alguno, la monstruosa perrucha echó su horrible
aliento sobre los ratones.

—¡Aliento de perro! —gritaron los soldados—. ¡Sálvese quien pueda!

—Oigan, regresen a sus puestos —gritó el Jefe a sus tropas—. ¿Qué son, hombres o ratones?

—Somos RATONES —chillaron.

—Mmm —dijo el Jefe—, ¡tienen *razón!*... ¡Esperen por mí!

La colosal canina siguió a los soldados hasta Ratonópolis, lamiendo toda la comida que encontraba a su paso.

Luego, Dogzilla anduvo sin rumbo por las calles de la ciudad, haciendo, naturalmente, lo que suelen hacer los perros.

¡Dogzilla persiguió a los carros hasta sacarlos de la autopista!
Dogzilla masticó y mordisqueó muebles, ¡y la mueblería también!
Y Dogzilla desenterró huesos... ¡en el Museo de Historia Natural!

Mientras, el Jefe organizó una reunión de emergencia con una de las mentes científicas más prominentes de la ciudad, la profesora Rizo Escarlata.

—Estimados ratones —dijo la profesora Rizo Escarlata—, este monstruo viene de los tiempos prehistóricos y probablemente tenga millones de años.

—Quizás podamos enseñarle a hacer algo positivo por la comunidad —sugirió el Jefe.

—Me temo que no —dijo la profesora Rizo Escarlata—. Loro viejo no aprende a hablar. Digo, perro viejo.

Dogzilla \ `dôg • zi • lə \ *nombre*

1: un perro grande y peludo **2:** de, o
relacionado con un perro grande y peludo
adj. **3:** grande, peludo y perro
[<P latín *Ogzilladay*]

—Si vamos a derrotar a esta perra, ¡tenemos que *pensar*
como ella! Tenemos que conseguir algo que *todos* los perros
teman, ¡algo que espante a esta bestia de Ratonópolis PARA
SIEMPRE!

—Tengo una idea —chilló el Jefe...

En cuestión de minutos, los ratones se reunieron en el
centro de la ciudad.

—Ahora sí, Dogzilla —gritó el Jefe—, no más considerratones contigo, ¡te llegó la hora del BAÑO!

De pronto, un gran chorro de agua tibia y jabonosa golpeó a Dogzilla con fuerza.

Presa de pánico, la perra soltó un aliento caliente y ardiente, ¡y comenzó la persecución!

El Jefe trató de sazonar, digo, de atrapar al perro, digo, al perro caliente con gran mostaza, mejor dicho, con gran destreza.

Dogzilla se fue con la cola entre las patas fuera de la ciudad, de regreso a la boca del antiguo volcán.

—¡Perros que te vieron ir jamás te verán volver! —exclamó el Jefe—. ¡La idea funcionó!

Con el escalofriante recuerdo del baño de espumas clavado en su memoria para siempre, Dogzilla nunca más regresó a Ratonópolis.

Al año, ya Ratonópolis se había reconstruido... justo a tiempo para la Segunda Barbacoa Anual. Los ratones de Ratonópolis encendieron sus parrillas, confiados de que nunca volverían a ver o a saber de Dogzilla de nuevo.

Sin embargo había una cosa que ellos no habían tomado en cuenta...

¡Los cachorros!

Autor e Ilustrador
DAV PILKEY

Dav Pilkey ha sido juguetón durante toda su vida. Cuando era bebé y dormía, sus padres solían oírlo reír. De niño, mientras los demás niños practicaban deportes en la calle, Dav se quedaba en casa haciendo dibujos graciosos.

Hoy en día, Pilkey se dedica a hacer libros graciosos. Un día, mientras veía la televisión, su perra Leia entró corriendo en la sala y tumbó un castillo de bloques. "Leia parecía un monstruo cómico que acababa de destruir una ciudad", dice Pilkey. De ahí se le ocurrió la idea de escribir *Dogzilla*.

Otros libros:
Un amigo para Dragón, Dragon Gets By, Kat Kong

Para saber más acerca de Dav Pilkey, visita Education Place. **www.eduplace.com/kids**

Dogzilla
escrita y dirigida por Dav Pilkey

Piensa en la selección

1. ¿En qué se parece Dogzilla a los perros reales? ¿En qué se diferencia de los perros reales?

2. ¿De qué les sirve a los ratones pensar como un perro para vencer a Dogzilla?

3. ¿Qué habría pasado si el baño no hubiera espantado a Dogzilla? ¿Qué otros planes pudo haber hecho el Jefe para salvar a Ratonópolis?

4. ¿Qué crees que ocurrirá en la Segunda Barbacoa Anual?

5. ¿Qué diferencias habría en el cuento si un gato colosal hubiera salido del volcán en lugar de un perro espantoso?

6. Conectar/Comparar ¿Qué hace Dav Pilkey para que este cuento sea tan gracioso y difícil de creer? Da ejemplos, usando palabras e ilustraciones del cuento.

Persuadir

Anuncia una película

Escribe un anuncio para una película de *Dogzilla*. Dibuja una escena emocionante del cuento. Añade el título y los actores. Escribe oraciones y citas de distintas personas para animar a los demás a ver la película.

Consejos

- Busca anuncios del periódico para tomar ideas.
- Usa adjetivos expresivos, como *espectacular, graciosísimo* y *heroico*.

¡Dogzilla está suelta!

¡Aullarás de la risa!

¡Está candente!

Con la actuación de Leia como el Monstruo y Flash como el Jefe

Calcula el precio

Fíjate en el dibujo de la Mueblería Gonzáles de la página 275. Luego, busca en la tabla de abajo los precios originales de los muebles. Si el precio de descuento de cada mueble es la mitad del precio original, ¿cuánto cuesta cada uno?

Extra Calcula el precio de descuento de los muebles si tienen un descuento de la tercera parte.

Mueble	Precio original
sofá	$60
mesa de noche	$30
butaca	$36
gavetero	$48
espejo	$18
lámpara	$24

Escribe trabalenguas

Busca una frase del cuento en la que todas las palabras tengan el mismo sonido inicial. Con la frase, escribe una oración completa en la que todas las palabras importantes tengan el mismo sonido inicial. Di los trabalenguas en voz alta lo más rápido que puedas.

Consejos

- Antes de escribir, haz una lista de palabras posibles.
- Di las frases lentamente primero para practicar. Luego, dilas más rápido.

La colosal canina comió cuanta comida consiguió.

Publica una reseña

¿Te gustó o no? Escribe una reseña de *Dogzilla* y publícala en Education Place. **www.eduplace.com/kids**

Destreza: Cómo leer un diagrama

❶ **Identifica** lo que aparece en el diagrama.

❷ **Predice** para qué te servirá.

❸ Lee los **rótulos** para averiguar la información que aparece en cada parte del diagrama.

❹ Al leer, **consulta** el diagrama para ver de qué te sirve.

Estándares

Lectura

- **Identificar información en el texto**

- **Hacer y modificar predicciones**

- **Seguir instrucciones escritas**

Ciencias

- **Formas de la materia**

- **Combinar sustancias**

- **Reunir información**

¡Deja que fluya!

por Anne Prokos

Hace millones de años, los volcanes se originaron como agujeros o grietas en la corteza de la Tierra. Después de miles de erupciones, las capas de lava se fueron endureciendo unas encima de otras y se convirtieron en montañas.

¡Haz tu propio volcán!

Lo que necesitas

- **Arcilla de modelar**
- **Lata pequeña vacía**
- **Trozo de cartón**
- **Bicarbonato de soda**
- **Vinagre**
- **Cucharita de medir**
- **Pegamento**
- **Casitas de plástico de un juego de mesa**

1 Moldea la arcilla en forma de un volcán. Deja un agujero en la parte de arriba para colocar la lata vacía.

Esto es lo que ocurre debajo de esas montañas.

Una serie de rocas llamadas estratos se derriten bajo la corteza terrestre. Los gases y la roca quemada se mezclan y forman magma caliente.

La presión hace que el magma salga en chorros de los cráteres volcánicos o fumarolas. Cuando el magma llega a la superficie de la Tierra, se le llama lava.

Los gases y las cenizas de la roca quemada se separan de la lava. Las cenizas forman una nube y se esparcen sobre la Tierra.

nube de cenizas

lluvia de cenizas

lava caliente

fumarola

corteza

estratos

cráter

cámara de magma

2 Coloca la lata en el "cráter". Pon el proyecto sobre el trozo de cartón y pega varias casitas alrededor del volcán.

3 Pon una cucharadita de bicarbonato de soda en la lata. Añade vinagre hasta que empiece a formarse espuma. Observa hacia dónde fluye la "lava".

287

Cuento

Un cuento narra una experiencia real o inventada. Tiene un personaje principal y un principio, el medio y un final. Usa la muestra de este estudiante cuando escribas tu propio cuento.

Éste soy yo con Pete.

Los **personajes** del cuento se presentan generalmente al principio.

Una buena descripción del **lugar** ayuda al lector a imaginar el sitio donde se desarrolla el cuento.

Pete, el cerdito patriótico

Pete era un cerdito patriótico. Todas las mañanas recitaba el juramento de la bandera. Siempre iba vestido de rojo, blanco y azul. Su carro también era rojo, blanco y azul. Incluso su casa era blanca, roja y azul.

Pete vivía en Massachusetts. Su trabajo era cantar el himno nacional en los partidos de básquetbol de los Celtics de Boston. Todos lo aplaudían y aclamaban cuando él cantaba. Eso le encantaba a Pete.

Un día Pete se aburrió de su trabajo y se le ocurrió que sería divertido vender helados.

Escritura — **Escribir narraciones Dar un contexto**

Ese día, durante el partido, vendió helados rojos, blancos y azules.

—¡Helados! ¡Vendo helados! —gritaba Pete.

—¡Se me está derritiendo el helado! —gritó un aficionado, furioso.

—¡Mi helado está malo! —dijo otro.

El trabajo no era tan divertido como Pete pensaba que sería. Nadie lo aclamaba. Pete quería volver a su trabajo anterior.

Al día siguiente, Pete volvió a su trabajo anterior: cantó el himno nacional y todos lo aclamaron. Pete estaba contento una vez más.

> Una buena **trama** hace que el lector quiera saber lo que va a ocurrir

> El **diálogo** le da vida al cuento.

> Un buen **final** concluye el cuento.

Conozcamos al autor

Eric D.

Grado: tercero

Estado: Massachusetts

Pasatiempos: jugar al fútbol, leer

Qué quiere ser cuando sea mayor: jugador profesional de fútbol o cirujano

El gigante misterioso de Barletta
Cuento popular italiano
adaptado e ilustrado por Tomie dePaola

El gigante misterioso de Barletta

Vocabulario

debilucho
estatua
gigante
misterioso
pedestal

Estándares

Lectura

- Seguir instrucciones escritas

Una ESTATUA misteriosa

Unos 700 años atrás, en 1309, una gran **estatua** de un joven apareció en las playas del pequeño pueblo costero de Barletta, en Italia. Nadie sabía de dónde había salido la estatua, pero eso no le importó a la gente de Barletta. Todos en el pueblo quedaron fascinados con la estatua.

Hasta el día de hoy, el origen de la estatua es **misterioso**. Se alza en un **pedestal** en la plaza de Barletta, y mide casi dieciocho pies de altura. La estatua parece velar por el pueblo con fuerza y valentía. Los pueblerinos cuentan muchos relatos sobre su querido **gigante**. A continuación leerás uno de los relatos favoritos de los pueblerinos.

Éste es el pueblo de Barletta, en Italia.

El gigante misterioso vigila el pueblo de Barletta desde su pedestal en la plaza.

Todo el que se acerca al gigante parece un **debilucho** en comparación.

Tomie dePaola

Cuando Tomie dePaola era niño, su abuela italiana y su abuelo irlandés le contaban muchos cuentos antiguos. Al escucharlos, empezó a soñar con ser escritor. Hoy en día, además de escribir sus propios cuentos, a dePaola le gusta volver a contar cuentos antiguos con sus propias palabras.

El gigante misterioso de Barletta es uno de estos cuentos; se basa en un cuento folklórico italiano. DePaola también ha vuelto a contar leyendas irlandesas e indígenas de Norteamérica. Millones de niños y adultos disfrutan de los más de doscientos libros que ha ilustrado y los casi setenta libros que ha escrito. A todos sus fieles lectores, dePaola les dice: "*grazie*", que significa gracias.

OTROS LIBROS

Tony's Bread   *Strega Nona*

26 Fairmount Avenue   *Days of the Blackbird*

Jamie O'Rourke and the Big Potato

Visita Education Place para aprender más acerca de Tomie dePaola.
www.eduplace.com/kids

El gigante misterioso de Barletta

Cuento popular italiano
adaptado e ilustrado por Tomie dePaola

Al leer la historia de Barletta y del gigante,
piensa en **preguntas** sobre el pueblo, su gente
y los extraños sucesos que ocurren allí.

Lectura   Aplicar conocimientos previos

En el pueblo de Barletta, delante de la iglesia del Santo Sepulcro, se alzaba una estatua enorme. Nadie sabía de dónde había venido ni cuándo. El Gigante Misterioso, como le decían a la estatua, siempre había estado allí, según recordaban todos.

Incluso Zia Concetta [Concheta] lo recordaba así. Zia Concetta era la persona más anciana de Barletta. Vivía en la plaza, enfrente de la estatua gigantesca. —Todos los días y todas las noches, durante toda mi vida, lo he visto ahí desde mi ventana —solía decir.

Independientemente del tiempo, bueno o malo, el Gigante Misterioso seguía en su sitio. A los habitantes de Barletta les encantaba tener a la estatua en su ciudad.

Por la mañana temprano, justo antes del amanecer, las monjas del convento y otros vecinos iban a la iglesia para la misa. Siempre saludaban al gigante con una inclinación de la cabeza o una sonrisa.

De camino al mercado, la gente siempre saludaba al gigante y le pedía que les diera buena suerte para vender todos sus productos o conseguir una buena oferta.

Durante todo el día los niños jugaban cerca de las piernas del gigante, y las palomas le volaban por encima de la cabeza. Los niños se sentaban sobre sus grandes pies a contar chistes.

Un poco más tarde los muchachos mayores se sentaban en los pies del gigante para mirar a las muchachas que paseaban. Y por la noche, los enamorados se robaban besos a la sombra del gigante.

Luego, las calles se quedaban vacías. Las palomas se acomodaban en la cabeza, los hombros y los brazos del gigante, y se dormían entre arrullos, y Zia Concetta abría su ventana y decía: —*Buona notte, Colosso.* Buenas noches, Coloso.

Ése era el momento del día que más le gustaba al gigante. Todo estaba en calma, en silencio. "Ah, *qué vida tan tranquila*", pensaba el gigante.

Pero un día se terminó la tranquilidad. Llegaron noticias de que un ejército de mil hombres venía destruyendo todos los pueblos y ciudades a lo largo de la costa sur del Adriático. Y se dirigía directamente hacia Barletta.

La gente corrió por las calles presa del pánico. En Barletta nadie estaba preparado para enfrentar a un ejército que venía a destruirlos. No tenían generales ni capitanes. Ni siquiera había soldados.

Entre los edificios resonaban voces y gritos. La noche se iluminó con la luz de las antorchas. La paz y la tranquilidad desaparecieron. Las palomas no vinieron a acomodarse en los hombros del Gigante Misterioso y Zia Concetta no le gritó *"Buona notte"* desde su ventana. Eso no le gustó nada al Gigante Misterioso.

Nada mejoró a la mañana siguiente. Al parecer todo el mundo estaba en la iglesia durante la misa, pero no hubo mercado. Nadie sonrió, ni mucho menos saludó con la mano al Gigante Misterioso. No había niños jugando. Todos corrían de un lado a otro, amontonando sus pertenencias en carros y carretas. Todos se preparaban para escapar de Barletta. Todos, excepto Zia Concetta y el Gigante Misterioso.

—*Colosso* —le dijo la anciana a la enorme estatua—, siempre has estado aquí plantado, contemplando este pueblo y a su gente. Barletta te quiere mucho y yo sé que tú quieres a Barletta. Ojalá pudieras hacer algo para salvarnos de este ejército. Con tu tamaño, seguro que podrías asustarlos para que se vayan de aquí. ¿Por qué no bajas de tu pedestal?

Y eso fue precisamente lo que hizo el Gigante Misterioso.

—A ver... —dijo Zia Concetta. Se pusieron a pensar y se les ocurrió una idea—. Y es una idea estupenda —dijo Zia Concetta.

El Gigante Misterioso volvió a subirse al pedestal y se quedó quieto. —Pueblo de Barletta —gritó Zia Concetta—. ¡Vengan rápidamente! Buenas noticias... *un miracolo,* un milagro, nuestro gigante nos va a salvar. ¡Vengan!

El pueblo de Barletta se reunió a su alrededor. —Amigos —dijo Zia Concetta—, nuestro gigante va a salir a encontrarse con este ejército. Ustedes sólo tienen que hacer tres cosas. Primero, tráiganme la cebolla más grande que encuentren. Segundo, escóndanse bien. Métanse debajo de la cama, en el armario, en el sótano, en el ático, pero que no los vean. Y tercero, ¡no hagan ninguna pregunta! Tengan fe en nuestro Gigante Misterioso.

Alguien trajo una cebolla enseguida. —¡Ahora, escóndanse! —gritó Zia. Y todo el mundo salió corriendo.

—Bueno, *Colosso, buona fortuna* —dijo Zia Concetta mientras partía la cebolla por la mitad. El Gigante Misterioso tomó media cebolla en cada mano, volvió a bajar del pedestal y se puso en camino para encontrarse con el ejército.

A tres millas de la ciudad, el Gigante Misterioso se sentó junto al camino y se acercó las cebollas a los ojos. Por sus mejillas corrían enormes lágrimas. El gigante se puso a llorar y a gimotear muy fuerte.

Vaya espectáculo que se encontró el ejército al pasar la colina. —¡Alto! —gritó el capitán—. El ejército se detuvo. ¿Qué es eso? —susurró el capitán a uno de sus tenientes.

—Parece un niño gigante, llorando —contestó el teniente.

—Bueno, vamos a comprobarlo —dijo el capitán, acercándose adonde estaba sentado el Gigante Misterioso.

—Soy el capitán Minckion —declaró el capitán—. Hemos venido a destruir esta ciudad. ¿Quién eres y qué haces aquí llorando? Nada de trucos, ¡respóndeme!

—¡Ay, señor! —dijo el gigante, lloriqueando—. Estoy aquí fuera, tan lejos de la ciudad, porque los niños de mi escuela no me dejan jugar con ellos. Dicen que soy muy pequeño. Se burlan de mí siempre. Me llaman *minuscolo* y *debole*, "pequeñajo" y "debilucho". Siempre me eligen el último en los juegos. Hoy me dijeron que si intentaba ir a la escuela me iban a dar una paliza. Odio ser tan pequeño.

305

El gigante lanzó un hondo suspiro e hizo volar los sombreros de los soldados de la primera fila. El capitán y el ejército quedaron pasmados. Si ese gigante era un pequeñajo del que se reían los demás niños, imagínense cómo sería el resto de la gente del pueblo.

—Pero algún día, señor —bramó el gigante—, algún día les daré una lección. Voy a comerme toda la comida para hacerme grande y fuerte, y así podré defenderme.

Los soldados comenzaron a retroceder temblorosos.
Los tenientes se reunieron alrededor del capitán, quien también
había retrocedido ante el gigante. Solo podían hacer una cosa.
El capitán Minckion y sus tenientes sacaron las espadas.
Las levantaron en el aire y gritaron: —¡Media vuelta!
¡Paso ligero! ¡En marcha!

El ejército dio media vuelta y echó a correr en dirección
contraria a Barletta. El Gigante Misterioso tiró los pedazos de
cebolla, se secó las lágrimas y volvió a la iglesia del Santo Sepulcro.

—Se han ido —gritó Zia Concetta a la gente del pueblo, mientras el gigante subía una vez más a su pedestal—. El ejército se ha ido. Ya pueden salir. La ciudad está a salvo. ¡Nuestro gigante lo ha conseguido!

¡Che bella festa! ¡Qué fiesta se celebró aquella noche!

Pero cuando terminó y la luna estaba en lo alto del cielo, el Gigante Misterioso contempló el pueblo dormido. Las palomas se arrullaron hasta dormirse en su cabeza y en sus hombros.

Todo estaba en calma, en silencio. Zia Concetta abrió la ventana de su casa.

—*Buona notte, Colosso* —le dijo—, y *grazie.*

308

El gigante misterioso
de Barletta
Cuento popular italiano
adaptado e ilustrado por Tomie dePaola

Piensa en la selección

1. Cuando la gente del pueblo se prepara para huir de Barletta, ¿por qué Zia Concetta es la única que no entra en pánico?

2. ¿Por qué crees que el Gigante Misterioso decide ayudar a Zia Concetta y al pueblo?

3. ¿Por qué les pide Zia Concetta a los vecinos del pueblo que se escondan? ¿Qué podría haber pasado si no hubieran obedecido sus órdenes?

4. ¿Por qué es mejor para el Gigante engañar a los soldados que intentar luchar contra ellos?

5. Si el Gigante Misterioso viniera a tu ciudad, ¿cómo podría ayudar a la gente?

6. **Conectar/Comparar** Imagina que el Jefe de Ratonópolis tuviera que salvar a Barletta. ¿Cuál podría haber sido su plan?

Expresar

Escribe una postal

Si visitaras Barletta, ¿qué le contarías a un amigo? En una tarjeta, escribe la dirección de tu amigo y un corto mensaje. Compara Barletta con tu ciudad. Por detrás, dibuja una escena de Barletta.

Consejos

- Para empezar, haz una lista de lugares y gente de Barletta.
- Incluye el nombre, la calle, ciudad, estado y código postal de tu amigo.

Haz un mapa

¿Conoces bien Barletta? Dibuja un mapa del pueblo. Pon la plaza en el centro. Muestra todos los lugares importantes sobre los que has leído en el cuento. Rotula los lugares claramente. ¡No te olvides de la estatua del gigante!

Extra Incluye una escala de las millas en el mapa.

Haz un libro de expresiones italianas

Escribe las palabras y expresiones italianas del libro en distintas hojas de papel. Luego, ponlas en orden alfabético. Escribe el significado en español de cada una y haz un dibujo que muestre el significado. Encuaderna las páginas. *¡Buon divertimento!* ¡Que te diviertas!

Ordena palabras en Internet

¿Qué tan rápido puedes descifrar una palabra desordenada? Prueba tus destrezas con palabras de *El misterioso gigante de Barletta.* ¡Visita Education Place hoy mismo! **www.eduplace.com/kids**

Destreza: Cómo leer un artículo sobre estudios sociales

Antes de leer...

❶ **Lee** el título y el encabezado.

❷ **Observa** las fotos y las leyendas.

❸ **Predice** lo que vas a aprender.

Al leer...

❶ **Identifica** el momento y el lugar descrito en el artículo.

❷ **Identifica** la idea principal de cada párrafo.

❸ **Toma notas** para recordar lo que leíste.

Estándares

Lectura

• **Hacer y modificar predicciones**

• **Idea principal y detalles**

VISTAS

¿En dónde puedes ver ruinas antiguas, comer espaguetis auténticos y visitar el Vaticano (el estado más pequeño del mundo) en un solo día? En Roma, la capital de Italia. Agarra tus maletas y *avanti:* "adelante".

Conocida como la "Ciudad Eterna" por su larga historia, Roma fue fundada en 753 a.C., según la leyenda. Luego, se convirtió en la sede del Imperio Romano, y hoy en día encontrarás allí numerosos restos del pasado. "Hay muchos museos, monumentos y estatuas antiguas", dice Matteo Ferrucci, de 13 años. "Mi estatua favorita es la del emperador Marco Aurelio en su caballo".

A Livia Bianchini, de 13 años, le encantan los monumentos conocidos como obeliscos. Son altas columnas de piedra que adornan las áreas públicas.

"Hay tantas cosas diferentes para hacer en Roma que es difícil aburrirse", dice Francesco Pannarale, de 12 años. Si quieres aprender algo de historia, ve al Coliseo y al Foro romano. Para ver una preciosa vista de la ciudad, ve al Zodiaco. Es un café en una colina de la parte noroeste de la ciudad. "Desde el Zodiaco se puede ver media Roma", dice Francesco. "Además, hay una *gelateria* [heladería] allí".

de Roma

por M. Linda Lee

▲ **PEQUEÑÍSIMO**, comparado con la cabeza y la mano gigante, Francesco examina las partes de una estatua en el Museo del Palacio de los Conservacionistas de Roma, Italia, donde vive. "Las piezas son enormes", dice Francesco. "Me puedo imaginar cómo era la estatua en la antigüedad".

¿Qué hacen los jóvenes romanos para divertirse? "A menudo voy al parque Luna con mis amigos o con mi familia", dice Matteo. El parque Luna es un parque de diversiones con muchas máquinas. Francesco, Livia y Matteo recomiendan el parque de Villa Borghese, una antigua mansión del siglo diecisiete con museos, galerías y un zoológico. "Hay senderos de ciclismo muy buenos alrededor del lago", dice Francesco. "Además, se puede montar a caballo".

Es difícil precisar exactamente qué hace que Roma sea tan especial. Según Matteo, quien ha vivido en Nueva York varios años "Tanto Roma como Nueva York tienen museos interesantes, pero Roma tiene más historia". Francesco añade: "La gente viene a Roma a ver lugares antiguos, pero hay muchas cosas modernas que ver también". Livia está de acuerdo. "Roma es *molto bella* [muy bonita]", dice. "¡Es la mejor ciudad del mundo!"

▼ ¿CIERTO O FALSO?

La Bocca della Veritá, o Boca de la Verdad, pone a Francesco a prueba. Según una antigua leyenda, la boca "morderá" la mano de todo aquel que diga una mentira.

Cuidadora de dragones
escrito por Jerdine Nolen
ilustrado por Elise Primavera

Cuidadora de dragones

Vocabulario

amarrado
apetito
arar
cosecha
cuidar
sembrar
tareas

Estándares

Lectura

- Idea principal y detalles
- Características de los personajes

El trabajo de la granja

En una granja, hay muchas **tareas** que hacer. Cuesta trabajo atender los cultivos y cuidar a todos los animales. Antes de leer *Cuidadora de dragones,* te conviene ver cómo es la vida en una granja real. Éstas son algunas de las cosas que hace un buen granjero.

Los granjeros suelen **arar** el terreno con tractores. Este tractor está **amarrado** a una herramienta especial que remueve la tierra.

316

Esta niña alimenta un ternero. Después de **cuidar** al ternero, tal vez tenga que atender a otros animales también.

Las semillas se deben **sembrar** en la tierra. Una vez que crecen las plantas, hay que cuidarlas hasta que los cultivos estén listos para la cosecha.

Después de la **cosecha**, hay mucha comida. Es lo mejor para saciar el gran **apetito** que te da después de hacer las tareas de la granja.

317

Conozcamos a la autora
JERDINE NOLEN

Dónde creció: Chicago, Illinois

Dónde vive ahora: Ellicott City, Maryland

De dónde toma las ideas para sus libros:
Dice que las obtiene de sus hijos, de sus gatos,
e incluso cuando lava la ropa.

Dato curioso: Hay una película basada en su
libro *Harvey Potter's Balloon Farm.*

Otros libros: *Harvey Potter's Balloon Farm,
In My Momma's Kitchen, Irene's Wish*

Conozcamos a la ilustradora
ELISE PRIMAVERA

Dónde creció: Long Branch, Nueva Jersey

Dónde vive ahora: Monmouth Beach,
Nueva Jersey

Lo primero que aprendió a dibujar: Un
árbol. Su hermano le enseñó a dibujarlo cuando
ella tenía seis años.

De dónde toma las ideas para sus libros:
Sus mejores ideas se le ocurren cuando se baña.

¿Quieres saber más acerca de Jerdine Nolen y Elise
Primavera? Visita Education Place.
www.eduplace.com/kids

Cuidadora de dragones

escrito por Jerdine Nolen
ilustrado por Elise Primavera

Usa lo que ya sabes sobre las granjas, los animales
y la fantasía para **predecir** lo que podría pasar
cuando una niña intenta criar un dragón en la
granja de su familia.

Lectura Hacer y modificar predicciones

Papá no sabía nada de criar dragones. Él cultivaba maíz y guisantes y cebada y trigo; criaba ovejas y vacas y puercos y pollitos. En nuestra granja producía todo lo que necesitábamos para vivir, pero no sabía nada de criar dragones.

Mamá tampoco sabía nada de dragones. Siempre se ocupaba de la casa muy bien. Pero cuando se trataba de dragones, ni siquiera sabía lo que les gustaba de postre.

Pero yo sí que sabía de todo sobre los dragones, y sabía que eran de verdad.

Al principio a papá le pareció una gran tontería la idea de tener dragones en una granja. —No soy aficionado a las criaturas extrañas. Y no tengo tiempo para andarme con fantasías —me dijo un día. Así que cuando papá me dijo que no quería hablar más, supe que sería mejor guardarme mis opiniones. Hice mis tareas con los pensamientos bien guardados en la cabeza en un extremo del granero, mientras papá trabajaba en el otro con los suyos.

Recuerdo el día en que los dragones llegaron a mi vida. Había salido a dar mi paseo antes de la cena, como todos los domingos. Cerca de la cueva de Miller me topé con algo que parecía una roca muy grande. Pero era muy redonda y suave; no era lo suficientemente dura para ser una roca.

Con mucho cuidado la metí rodando en la cueva y fui a buscar a papá.

—¿Qué crees que es, papá?

—Un huevo. Un huevo enorme —fue lo único que dijo—. Y no te acerques a esa cosa, hija. ¡Quién sabe lo que saldrá de ahí! —No sabía si papá estaba asustado o preocupado—. No te acerques, ¿me oyes? —me dijo, advirtiéndome con el dedo.

Yo siempre obedecía a mis padres y nunca tuve motivos para desobedecerlos. Y en ese momento también intenté obedecer a papá, pero no pude alejarme. Día tras día iba a la cueva de Miller para esperar, observar y preguntarme: —¿Qué saldrá del huevo?

Una noche no podía dormir. Me bajé de la cama y salí por la ventana al mirador que mi papá me había construido en el roble.

Pero un fuerte ruido quebró el silencio de la noche. *¡Crac!* Era más potente que cien petardos el 4 de julio. *¡CRAC!* Lo volví a oír, esta vez más fuerte que antes. Venía de la cueva de Miller. Con los primeros rayos del amanecer, me dirigí hacia aquel sonido.

Allí estaba el huevo, en el rincón de la cueva en donde lo había dejado. Y abriéndose camino, como he visto hacer a tantos pollitos, había un dragoncito partiendo la cáscara con el hocico.

Fue amor a primera vista.

—Hola, amiguito, bienvenido al mundo —entoné en voz baja y suave. Cuando le acaricié la nariz, emitió un dulce ronroneo lastimero. Cuando le toqué las escamas, supe que él sería para mí, él era mi dragón. Le puse de nombre Hank.

Hank era una dulzura. Echaba fuego, pero siempre se reprimía de hacerlo cuando yo me acercaba.

Papá no veía ningún sentido ni utilidad en tener un dragón que se comiera todo lo que tuviéramos en casa y en los alrededores. Afortunadamente, Hank prefería el pescado, las ranas, anguilas e insectos a la ternera, el cordero, el pollo y el puerco. Y tenía un apetito enorme.

Mamá no quería saber nada de Hank. Siempre que yo quería hablar de él, se tapaba los oídos y se ponía a cantar. Decía que tener un dragón era peor que tener un campo lleno de alimañas. Pero no era cierto.

Mamá y papá me enseñaron a cuidar a los seres vivos desde el día en que nací. Me enseñaron a criar muchísimas cosas, pero nunca imaginé que un día cuidaría a una criatura que la mayoría de la gente ni siquiera cree que existe. Llevó tiempo pero, les gustase o no, Hank era parte de nuestras vidas.

Era una cosa extraordinaria. Llegó a ser del tamaño del granero, desde el hocico a la punta de la cola. Hank era muy torpe cuando le crecieron las alas. Pero cuando aprendió a usarlas, salíamos a volar, casi siempre de noche.

Hasta entonces me daba miedo la oscuridad. Me parecía que las sombras, los ruidos raros y el silencio total y absoluto siempre estaban al acecho vigilándome. Había visto nuestra granja desde el mirador del árbol, pero Hank me enseñó mi mundo desde las alturas, como me vería una nube, un pájaro o una estrella. Desde allá arriba vi las cosas como eran de verdad. Y era maravilloso.

329

Papá fue el primero en notar que en nuestra granja ocurrían cosas extrañas. Una mañana papá salió a arar los campos con Sansón, nuestra mula, después de haberla amarrado. Pero el trabajo ya estaba hecho. La tierra estaba removida y se habían hecho cargo de sembrar las semillas. ¡Papá se quedó con la boca abierta!

Hank y yo también cuidábamos los cultivos. Quitábamos las malas hierbas y manteníamos alejadas a las alimañas. Y Hank incluso me llevaba al colegio antes de que sonase la primera campana.

Pese a todas las cosas buenas que había hecho Hank, mamá no quería ni oír hablar de él. Pero cuando llegó una ola de calor, los tomates empezaron a secarse. Hank revoloteó por encima de ellos, abanicándolos con sus alas para librarlos del calor. Y así los salvó casi todos. Mamá no lo quiso admitir, pero sentía que le debía algo a Hank. Empezó a preparar platillos exquisitos sólo para él: tortas de anguilas, flan de ancas de rana y estofado de pescado e insectos. A Hank le encantaban.

Día tras día Hank se iba haciendo más grande. A mamá le preocupaban las llamaradas de su aliento.

Papá estaba muy inquieto por todo el maíz que Hank y yo habíamos plantado. El maíz crecía por *todas* partes. Mamá cocinaba todo el maíz que podía, pero había demasiado. Ya cuando parecía que el maíz estaba a punto de tragarse la granja, Hank agarró la pala de papá y cavó un surco muy ancho alrededor del campo de maíz. Luego sopló sobre él su aliento ardiente.

—¿Qué rayos ocurre? —gritó papá. Mamá salió corriendo de la casa con un cubo de agua. Pero era demasiado tarde. Todo el campo estaba ardiendo. No podíamos creer lo que oíamos —¡POP! ¡¡¡POP!!! ¡Pop, pop! ¡POP!— ni lo que veíamos.

Hank estaba haciendo palomitas de maíz. Tardamos toda una semana en echarles sal y meterlas en bolsas. Las vendimos todas y obtuvimos buenas ganancias. Eran las primeras palomitas hechas por un dragón que nadie había visto ni probado antes. Y estaban buenísimas.

Cuando mamá obtuvo su cosecha de tomates, Nancy Atkins compró unos cuantos. Ella decía que tenían valor medicinal. Dijo que la curaron de la gota. Enseguida la gente empezó a llegar, buscando productos del dragón como si fueran medicina. Pero no había nada medicinal en ellos. Era Hank.

Toda la gente y tanta atención decidieron su destino. Una tarde mamá y yo estábamos sentadas delante de la estufa. Ella pelaba guisantes mientras yo leía *El atlas aventurero de Murdoch del mundo conocido y desconocido,* un libro que yo había sacado de la biblioteca aquella mañana. En ese instante me di cuenta de lo que tenía que hacer.

A la mañana siguiente, Hank y yo nos pusimos en camino hacia la isla con forma de dragón que flotaba en mitad del océano.

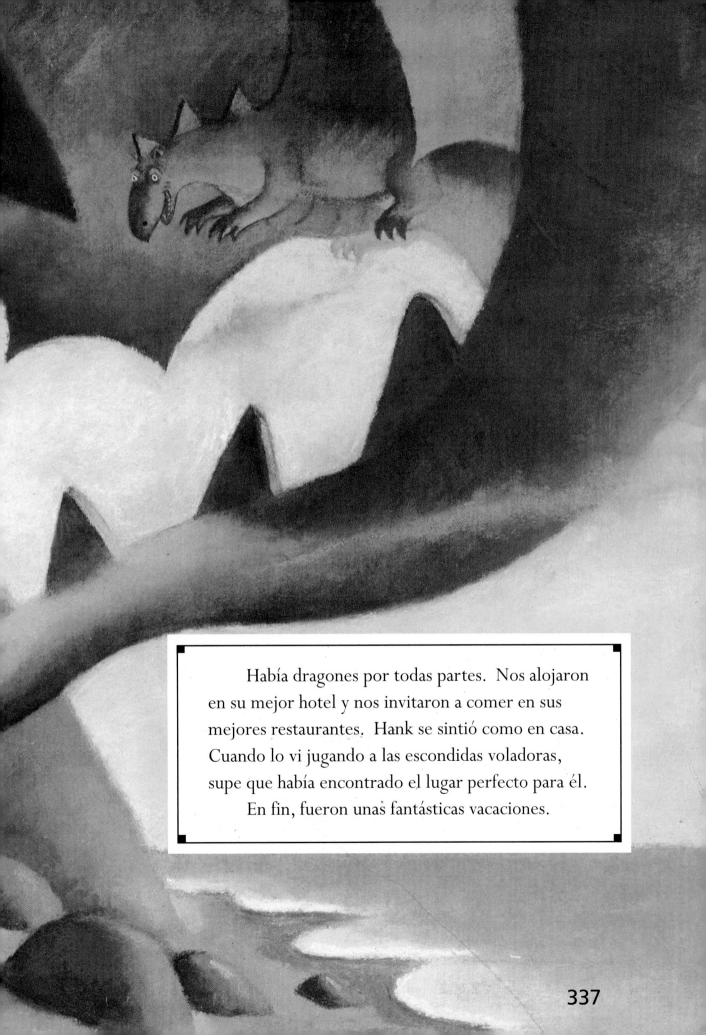

Había dragones por todas partes. Nos alojaron en su mejor hotel y nos invitaron a comer en sus mejores restaurantes. Hank se sintió como en casa. Cuando lo vi jugando a las escondidas voladoras, supe que había encontrado el lugar perfecto para él. En fin, fueron unas fantásticas vacaciones.

Pero el final fue muy duro: tuve que despedirme de Hank.
Al menos por el momento.

Normalmente no soy muy sentimental en las despedidas,
pero cuando Hank se volvió hacia mí y me llamó Chiquita, lloré
desconsoladamente.

Justo cuando iba a subir al avión, Hank se plantó en la pista
ocultando una carretilla detrás de su espalda. Su sonrisa dientuda
iluminó aquel día nublado. La carretilla estaba llena de…

—¿ROCAS? —chilló mi madre asombrada.

—No son rocas, mami. Son huevos, ¡huevos de dragón!
—exclamé.

Papá sonrió muy orgulloso.

Todos los huevos eran diferentes: uno brillaba, otro resplandecía,
otro más centelleaba y había uno que incluso despedía destellos.
Me quedé admirándolos. Y al contemplarlos me acordé de mi Hank.
Ahora estaba en algún lugar del mundo. Sabía que volvería a verlo.
Lo único que tenía en la cabeza era *cuándo* sería.

Pero mientras tanto, sabía lo que tenía que hacer. Igual que papá
sabía que llevaba en la sangre ser granjero, yo sabía que llevaba en la mía
criar dragones.

Hay cosas que uno simplemente sabe.

Cuidadora de dragones
escrito por Jerdine Nolen
ilustrado por Elise Primavera

Piensa en la selección

1. Describe la personalidad de la niña. ¿Cómo es? Da ejemplos del cuento para apoyar tu respuesta.

2. ¿Por qué Hank tiene que marcharse de la granja? ¿Cómo crees que se sintió cuando se marchó?

3. Si la niña no hubiera encontrado el huevo en la cueva de Miller, ¿en qué hubiera sido distinta la vida en la granja?

4. ¿Qué crees que pasará cuando la niña intente criar a un grupo de dragones, en lugar de uno solo?

5. ¿Qué tipo de persona hay que ser para cuidar bien a un animal? Da ejemplos del cuento.

6. Conectar/Comparar Hank ayudó mucho en la granja. ¿Qué hubiera pasado si Hank fuera más parecido a Dogzilla?

Narrar

Escribe una continuación

La continuación de un cuento narra lo que ocurre cuando termina el primer cuento. ¿Qué podría pasar si la niña regresara a la Isla de los Dragones? ¿Qué les diría a los dragones? Escribe una continuación con tus propias ideas.

Consejos

- Antes de escribir, dibuja tus ideas.
- Usa guiones para indicar las palabras textuales que dice una persona.

Lectura Identificar datos importantes
Escritura Escribir narraciones

HAZ UNA GRÁFICA DEL CICLO DE LA VIDA

Haz una gráfica que muestre las etapas del ciclo de la vida de Hank. Comienza con el huevo que encontró la niña. Dibuja las demás etapas de la vida de Hank.

El ciclo de la vida de Hank

REPRESENTA UN REPORTAJE PERIODÍSTICO

En un grupo pequeño, representa a un reportero de televisión que habla sobre la granja. Decidan quién será el reportero, la niña, sus padres y Hank. Presenta las entrevistas en vivo al resto de la clase.

Consejos

- **Mira un reportaje en televisión para tomar ideas.**
- **Prepara las preguntas antes de hacer las entrevistas.**

Internet

HAZ UNA ENCUESTA DE INTERNET

¿Has tenido alguna vez una mascota? ¿Qué mascotas poco comunes tienen tus amigos? ¿Cuál es tu personaje favorito de *Cuidadora de dragones?* Responde a una encuesta de Internet en Education Place.
www.eduplace.com/kids

Destreza: Cómo leer un artículo de ciencias

Antes de leer...

❶ **Lee** el título, los encabezados y las leyendas.

❷ **Observa** las fotos.

❸ **Predice** lo que vas a aprender.

Al leer...

❶ **Identifica** la idea principal de cada párrafo.

❷ **Identifica** las palabras y datos científicos especiales.

❸ **Toma notas** para recordar lo que lees.

DRAGONES
de la vida real

por Robert Gray

▲ DRAGÓN DEL BOSQUE

Puedes ver por qué a este lagarto se le llama "dragón". Tiene más pinchos que la mayoría de los dragones imaginarios y vive en la selva tropical de Australia.

Por lo general, cuando los dragones del bosque se quedan quietos, son difíciles de ver. Las escamas verdes que los cubren los ocultan entre las hojas.

Pero cuando un dragón del bosque quiere asustar a un enemigo, hincha la piel amarilla que le cuelga de la barbilla y luego lucha enérgicamente.

Los lagartos más grandes del mundo también se llaman dragones. Y con razón, porque pueden alcanzar los diez pies (tres metros) de largo. Incluso pareciera que los dragones de Komodo echaran fuego por la boca. A medida que van caminando, meten y sacan su larga lengua bífida de la boca.

Los dragones de Komodo viven en seis islitas de Indonesia, un país que queda al norte de Australia. Los dragones de Komodo adultos se comen a casi todos los animalitos que encuentran, incluso a otros dragones de Komodo más pequeños.

También son lo suficientemente grandes para matar ciervos y búfalos de agua, pero no pueden alcanzarlos corriendo. Por eso, esperan junto al sendero que siguen los animales para saltarles encima y capturarlos.

Si un animal se escapa después de que el dragón lo haya mordido, no importa. Seguramente morirá en un día o dos, porque los microbios de la saliva del dragón pueden causar una infección mortal. Cuando el animal muere, empieza a oler mal. Al poco tiempo, el dragón de Komodo sigue su olfato y encuentra una deliciosa cena esperándolo.

Con sus pinchos, sus escamas y su aspecto feroz, estos dragones de la vida real son simplemente INCREÍBLES.

345

¿Lagartijas por el aire? ¡Qué extraño! Estos dragones de la India y del sureste asiático en realidad no vuelan. Pero pueden planear de un árbol a otro para seguir insectos o escapar de sus enemigos.

Sus "alas" son de piel que les recubre las costillas. Para planear, extienden las costillas y saltan de una rama. La piel estirada funciona como un paracaídas a medida que bajan flotando a una rama más baja. Cuando un dragón volador aterriza, contrae las costillas y las recoge hacia el cuerpo, como si cerrara un abanico de papel.

Tanto el basilisco verde como el basilisco común tienen una cresta. Es por eso que estos lagartos dragones reciben su nombre de los basiliscos, antiguos seres parecidos a los gallos.

Supuestamente, los basiliscos imaginarios podían matar a las personas con la mirada. Pero estos lagartos dragones de América Central también pueden hacer algo increíble. Si corren muy velozmente con las patas traseras, pueden deslizarse por la superficie del agua y recorrer una breve distancia. Son maestros del escape.

¿Real o imaginario?

¿Qué tipo de dragón te gusta más: los antiguos dragones de los cuentos o los lagartos de hoy en día? No es necesario escoger: puedes disfrutarlos todos.

Los dragones reales merodean hoy en día por muchos zoológicos. Pregunta en el mostrador de información de un zoológico si hay lagartos dragones que puedas visitar.

El jardín de
Abdul Gasazi
escrito e ilustrado por Chris Van Allsburg

El jardín de Abdul Gasazi

Vocabulario

convencido
desapareció
descubrieron
imposible
impresionante
increíbles

Estándares

Lectura

- Identificar datos importantes
- Características de los personajes

Jardines extraordinarios

Durante cientos de años, la gente ha disfrutado de los jardines. Para dar privacidad a los jardines, en ocasiones la gente construye vallas o muros a su alrededor. Al caminar por el interior de los muros de piedra elevados, es fácil quedar **convencido** de que el resto del mundo **desapareció**.

En el mundo de los jardines, nada es **imposible**. Algunos diseñadores de jardines crean laberintos de tamaño natural con los arbustos. Otros cortan plantas y les dan forma de animales de tamaño **impresionante**. ¿Qué harías si encontraras un jardín lleno de estos animales? ¿Entrarías enseguida? Arriésgate y entra a *El jardín de Abdul Gasazi,* y fíjate en lo que los personajes **descubrieron**.

Después de planificarlo muy bien, el diseñador de jardines puede crear caminos curiosos (arriba) y animales verdes **increíbles** (abajo).

Conozcamos al autor e ilustrador

Chris Van Allsburg

Cumpleaños: 18 de junio

Libro favorito cuando era niño: *Harold and the Purple Crayon* por Crockett Johnson

Materia favorita en la escuela: Le encantaba el arte. Una vez estaba enfermo, pero quería ir a la escuela de todos modos porque tenía clase de arte.

Sus lectores: Recibe cientos de cartas de estudiantes. Algunos le piden su foto. Otros quieren invitarlo a cenar. Incluso le preguntan si le gustan los espaguetis.

Su amor por la lectura: Lee todo el texto que aparece en la caja de cereales durante el desayuno, y a veces lo hace más de una vez.

Dato curioso: Se hizo una película de su libro *Jumanji*.

Otros libros:
El expreso polar
Just a Dream
Two Bad Ants
The Wreck of the Zephyr

Internet

Puedes averiguar más acerca de Chris Van Allsburg en Education Place. **www.eduplace.com/kids**

El jardín de Abdul Gasazi

escrito e ilustrado por Chris Van Allsburg

Estrategia clave

Mientras sigues los sucesos increíbles de este cuento, haz una pausa para **revisar** si los entiendes bien. Vuelve a leer o sigue leyendo para **aclarar** las pistas que encuentres en el camino.

Fritz, el perro de la señorita Hester, había mordido seis veces a la querida prima Eunice. Así que cuando la Srta. Hester recibió una invitación de Eunice, no le sorprendió leer la posdata: "P.D., Por favor, deja al perro en casa". El día de la visita, la Srta. Hester le pidió al joven Alan Mitz que se quedara con Fritz y le diera su paseo de todas las tardes.

En cuanto la Srta. Hester se marchó, Fritz entró corriendo en la salita. Le encantaba mordisquear las sillas y sacarle el relleno a los cojines. Pero Alan estaba bien preparado. Durante toda la mañana, evitó que Fritz mordiera los muebles con sus dientecitos afilados. Finalmente, el perro se rindió y se durmió de cansancio. Alan también tomó una siesta, pero primero se escondió la gorra debajo de la camisa, porque las gorras eran una de las cosas que más le gustaba morder a Fritz.

Al cabo de una hora, Alan se despertó bruscamente cuando Fritz le mordió la nariz. El perro maleducado estaba listo para su paseo de todas las tardes. Alan le puso la correa y Fritz lo arrastró fuera de la casa. Mientras caminaban, descubrieron un puentecito blanco a un lado de la carretera. Alan decidió dejar que Fritz lo cruzara primero.

Un poco después de cruzar el puente Alan se detuvo a leer un cartel que decía: SE PROHÍBE ABSOLUTA Y TERMINANTEMENTE LA ENTRADA DE PERROS A ESTE JARDÍN. Y debajo estaba firmado: ABDUL GASAZI, MAGO RETIRADO. Detrás del cartel había una pared cubierta de enredaderas con la puerta abierta. Alan se tomó el aviso muy en serio. Dio media vuelta para marcharse, pero en ese mismo momento Fritz dio un tremendo tirón y se escapó del collar. Atravesó la puerta a toda velocidad, mientras Alan corría detrás de él.

—¡Fritz, para, perro bribón! —gritó
Alan, pero el perro no le hizo caso.
Atravesaron corriendo senderos en sombras
y praderas soleadas, adentrándose cada vez
más en el jardín. Por fin Alan consiguió
acercarse lo suficiente para agarrar a Fritz,
pero cuando alargó la mano se resbaló y se
cayó. Fritz ladró alegremente mientras
corría fuera de su vista. Alan se levantó
despacio. Sabía que tenía que encontrar a
Fritz antes de que lo descubriera el Sr.
Gasazi. Dolorido y cansado, se apresuró
hacia donde estaba el perro.

Tras una larga búsqueda Alan estaba a
punto de rendirse. Temía que nunca
encontraría a Fritz. Pero entonces se topó
con unas huellas de perro frescas.
Lentamente, siguió los pasos de Fritz por un
sendero que conducía hacia un bosque. El
sendero de tierra terminaba al comienzo de
un camino de ladrillos. Ya no había más
huellas, pero Alan estaba seguro de que
Fritz debía estar un poco más adelante.

Alan echó a correr. Delante de él vio un claro en el bosque.
Cuando salió a toda velocidad de entre los árboles, frenó tan rápido
como si se hubiera chocado contra un muro. Allí, frente a él, se
encontró con una imagen realmente impresionante. Era la casa
de Gasazi. Alan subió nervioso la gran escalera, convencido de
que Fritz había venido por aquí y lo habían capturado.

El corazón del niño latía con fuerza cuando llegó frente a la enorme puerta. Respiró profundo y fue a tocar el timbre, pero antes de que lo tocara la puerta se abrió de par en par. Allí, en las sombras del vestíbulo, estaba Gasazi el Grande.

—Bienvenido, adelante por favor —fueron sus únicas palabras.

Alan siguió a Gasazi hasta una gran sala. Cuando el mago se dio la vuelta, Alan se disculpó inmediatamente por dejar que Fritz entrara en el jardín. Le pidió educadamente al Sr. Gasazi que, si tenía a Fritz, por favor se lo devolviera. El mago lo escuchó atentamente y después, sonriendo, dijo:
—Desde luego que puedes llevarte a tu pequeño Fritzi. Sígueme—. Diciendo estas palabras fue hacia la puerta y llevó a Alan de nuevo al exterior.

Iban caminando por el césped cuando Gasazi se detuvo de repente junto a un grupo de patos. Comenzó a hablar con una voz que más bien parecía un gruñido. —Detesto a los perros. Escarban entre mis flores y mordisquean mis árboles. ¿Sabes lo que hago con los perros que encuentro en el jardín?

—¿Qué? —susurró Alan, casi temiendo escuchar la respuesta.

—¡LOS CONVIERTO EN PATOS! —aulló Gasazi.

Horrorizado, Alan miró a los patos que tenía delante. Cuando uno de ellos se acercó, Gasazi dijo:
—Éste es tu Fritz —Alan le suplicó al mago que lo volviera perro otra vez—. Imposible —contestó—, el tiempo es el único que puede hacerlo. Este hechizo puede durar años, o quizás sólo un día. Ahora toma a tu querida ave y haz el favor de no volver por aquí.

Cuando Alan cogió el pato en brazos intentó morderle. —Viejo amigo —dijo Alan con tristeza, dándole una palmadita al animal en la cabeza—. No has cambiado tanto. Se dirigió a casa con lágrimas en los ojos. Detrás de él oyó las carcajadas de Gasazi. Cuando se acercaba a la escalera, una ráfaga de viento le arrancó la gorra de marinero de la cabeza. Al correr con un brazo extendido para agarrarla, Fritz se le escapó a Alan. El pato salió volando y agarró la gorra en el aire. Pero en lugar de posarse siguió volando cada vez más alto, hasta que desapareció entre las nubes de la tarde.

Alan se quedó parado, mirando al cielo vacío. —Adiós, viejo amigo —dijo con tristeza, seguro de que Fritz se había ido para siempre. Al menos tenía algo que mordisquear. Despacio, paso a paso, Alan encontró el camino hacia la puerta del jardín y atravesó el puente. Cuando llegó a casa de la Srta. Hester estaba anocheciendo. Como las luces estaban encendidas supo que debía estar en casa. Con el corazón desconsolado se acercó a la puerta, preguntándose cómo la Srta. Hester se tomaría la noticia.

Cuando la Srta. Hester abrió la puerta, Alan le contó atropelladamente los sucesos increíbles. Apenas podía aguantarse las lágrimas; entonces corriendo desde la cocina, con la nariz manchada de comida para perros, apareció Fritz. Alan no creía lo que veían sus ojos. —Me temo que el Sr. Gasazi te gastó una broma —dijo la Srta. Hester, intentando disimular una sonrisa—. Fritz estaba en el jardín cuando llegué. Debe de haber encontrado solo el camino de vuelta mientras tú estabas con el Sr. Gasazi. Mira, Alan, nadie es capaz de convertir perros en patos; ese viejo mago nada más te hizo creer que aquel pato era Fritz.

Alan se sintió muy avergonzado. Se hizo la promesa de que nunca volverían a tomarle el pelo de esa manera. Ya estaba mayorcito para creer en la magia. La Srta. Hester se quedó en el porche, mirando a Alan despedirse con la mano y avanzar deprisa por la calle camino a su casa. Luego llamó a Fritz, que estaba correteando por el jardín. Subió trotando los escalones de la entrada con algo en la boca y lo soltó a los pies de la Srta. Hester.

—¡Ay, qué perro tan malo! —dijo—. ¿Qué haces con la gorra de Alan?

El jardín de Abdul Gasazi

escrito e ilustrado por Chris Van Allsburg

Piensa en la selección

1. ¿Cómo describirías la personalidad de Abdul Gasazi? Usa detalles del cuento para explicar tu opinión.

2. ¿Cómo crees que el perro Fritz consiguió la gorra de Alan al final?

3. ¿Por qué cree la Srta. Hester que Abdul Gasazi le hizo una broma a Alan? ¿Estás de acuerdo con ella?

4. ¿Qué hace Chris Van Allsburg para que el cuento sea tan misterioso? Da ejemplos del cuento.

5. ¿Crees que Alan volverá alguna vez al jardín de Abdul Gasazi? ¿Irías *tú* al jardín si pudieras? Explica tus respuestas.

6. Conectar/Comparar Compara la Isla de los Dragones de *Cuidadora de dragones* con el jardín de Abdul Gasazi.

Reflexionar

Escribe en un diario

¡Qué día tuvo Alan! Escribe una página del diario de Alan sobre su día con Fritz. Asegúrate de contar lo que piensa de Fritz, de Abdul Gasazi y de todos los sucesos extraños del día. Usa detalles emocionantes y misteriosos del cuento.

Consejos

- Antes de escribir, haz una lista de los sucesos principales.
- Comienza la página con el día y la fecha.

Lectura   Aplicar conocimientos previos
Escritura   Escribir descripciones

Representa un diálogo

¿Qué pasaría si un perro que estás cuidando se metiera en el jardín de Abdul Gasazi? Con un compañero, representa el diálogo entre Abdul Gasazi y tú. ¿Qué razones podrías darle para recuperar el perro? ¿Qué diría Abdul Gasazi? ¿Te devolverá el perro u otra cosa? ¡Decídelo tú!

¡PERO ÉSTE NO ES MI PERRO!

Consejos

- Escribe el diálogo primero.
- Practícalo con tu compañero.

Compara el arte de Van Allsburg

Elige una ilustración de *El jardín de Abdul Gasazi* y una ilustración de otro libro de Chris Van Allsburg. Compara las dos ilustraciones. ¿En qué se parecen? ¿Qué puedes decir del estilo de Van Allsburg en base a estas ilustraciones? Escribe tus ideas y compártelas con la clase.

de *El forastero* por Chris Van Allsburg

Internet

Sigue un laberinto en Internet

¿Puedes salir del jardín de Abdul Gasazi? Imprime un laberinto de Education Place e inténtalo. **www.eduplace.com/kids**

Destreza: Cómo leer una entrevista

❶ **Lee** el título y la introducción.

❷ **Identifica** a la persona entrevistada y a la que hace las preguntas.

❸ **Pregúntate** lo que sabes sobre la persona entrevistada.

❹ Al leer, **haz pausas** para comprobar que entiendes todas las preguntas y respuestas.

Entra al mundo de CHRIS VAN ALLSBURG

 por Stephanie Loer

Las preguntas que aparecen en esta entrevista a Chris Van Allsburg las hicieron estudiantes, maestros y aficionados de sus libros.

¿De dónde toma las ideas para sus cuentos e ilustraciones?

Primero, me imagino las escenas de un cuento. Luego, el cuento en sí va saliendo a medida que me voy haciendo preguntas a mí mismo. Supongo que podríamos llamarlo el método de "y si pasara esto... y entonces qué" de escribir e ilustrar.

El expreso polar comenzó con la idea de un tren parado en el bosque. Entonces me empecé a preguntar: ¿Y si sube un niño al tren? ¿Qué hace? ¿Adónde va? Cuando el niño se subió, probé mentalmente diferentes destinos. ¿Y al norte? ¿Quién vive al norte? Entonces se me empezaron a ocurrir ideas relacionadas con la Navidad, San Nicolás y la fe.

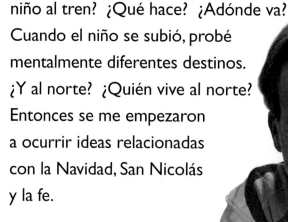

Las ideas de Van Allsburg cobran vida en sus bocetos.

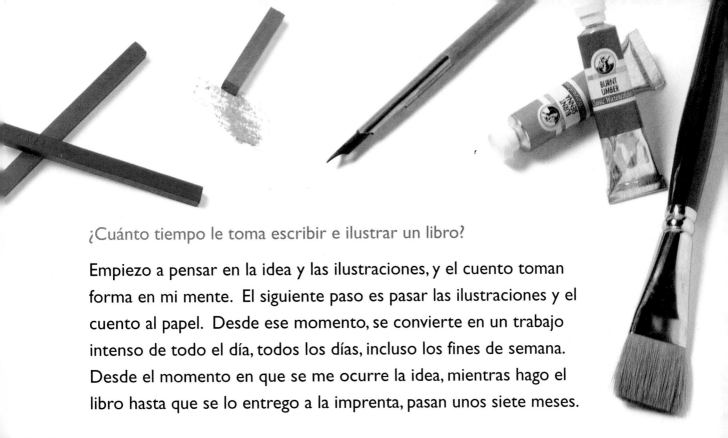

¿Cuánto tiempo le toma escribir e ilustrar un libro?

Empiezo a pensar en la idea y las ilustraciones, y el cuento toman forma en mi mente. El siguiente paso es pasar las ilustraciones y el cuento al papel. Desde ese momento, se convierte en un trabajo intenso de todo el día, todos los días, incluso los fines de semana. Desde el momento en que se me ocurre la idea, mientras hago el libro hasta que se lo entrego a la imprenta, pasan unos siete meses.

Van Allsburg creó bocetos para su libro *Jumanji*. Luego, dibujó un bosquejo final de cada uno (arriba) y lo convirtió en una ilustración terminada (derecha).

371

Un tren normal y corriente adquiere un cierto misterio en esta ilustración del libro de Van Allsburg *El expreso polar.*

¿Cómo describiría el estilo artístico que usa en sus libros?

Véanlo de esta forma: aunque las ilustraciones parecen muy representativas (como si fueran cosas comunes y corrientes) debajo del aspecto ordenado de los dibujos hay algo de misterio.

Es decir, el estilo que uso me permite hacer dibujos con un poco de misterio, aunque las cosas que dibuje no sean extrañas ni misteriosas.

Si hiciera la continuación de un libro, ¿qué libro seleccionaría?

Me gustaría *Widow's Broom,* porque la viuda y la escoba podrían tener más aventuras. Además, las hormigas de *Two Bad Ants* podrían meterse en un nuevo lío en una habitación diferente. O Alan podría volver donde Gasazi a buscar más problemas con el mago.

Por eso, aunque alguna vez se me acabaran las ideas, hay mucho material con el que puedo trabajar. Pero dudo que eso ocurra.

Van Allsburg empezó a coleccionar animales de plástico para tener buenos modelos para *Jumanji.*

Hablemos de Fritz

Ninguna conversación con Chris Van Allsburg puede concluir sin mencionar a Fritz. Aunque Chris no tiene perro, su cuñado tuvo un bulterrier inglés muy parecido a Fritz. Ese perro (abajo) le sirvió de inspiración para *El jardín de Abdul Gasazi*. Desde entonces, Fritz sale en casi todos los libros de Chris Van Allsburg, aunque a veces está escondido.

¿Puedes hallar a Fritz en todos los libros? No queremos revelarte todos los escondites de Fritz, pero te daremos una idea. En *El expreso polar*, es el títere que cuelga de la esquina de la cama en la primera página. Lamentamos que no te podamos dar más pistas, pero si te fijas muy bien, siempre encontrarás a Fritz.

De paseo en el patio

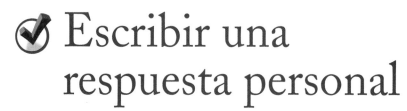

Escribir una respuesta personal

En algunas pruebas debes escribir una respuesta personal a un tema. Por lo general puedes escoger uno de varios temas posibles. A continuación hay un ejemplo.

Consejos

- Lee las instrucciones con atención.
- Busca palabras clave que te indiquen sobre qué debes escribir.
- Decide el tema del que escribirás.
- Planifica tu respuesta antes de empezar a escribir.
- Cuando termines de escribir, corrige cualquier error que haya en la respuesta.

1. Escribe uno o dos párrafos sobre uno de los temas que aparecen a continuación.

   a. Alan tienen una aventura increíble en el cuento *El jardín de Abdul Gasazi*. Piensa en una aventura increíble que te gustaría tener. ¿Adónde irías? ¿Qué harías? ¿Por qué sería increíble esta aventura?

   b. Acabas de leer el tema *Historias increíbles*. ¿Te gusta leer cuentos sobre fantasías increíbles? Da razones para tu respuesta.

_____

_____

_____

_____

Ahora, observa una respuesta buena que escribió un estudiante sobre el primer tema.

La respuesta tiene que ver con el tema.

La respuesta está bien organizada.

Una aventura divertida que me gustaría tener sería quedar atrapado en el Bosque de los Cien Acres con Winnie Pooh. Iría a visitar a Pooh, a Piglet y al Conejo. Iríamos todos al jardín de Conejo y haríamos un picnic. Podría probar la deliciosa miel de Pooh. Mi aventura sería increíble porque estaría en un mundo imaginario.

Muchos detalles apoyan la respuesta.

La respuesta contiene palabras descriptivas y precisas.

Casi no hay errores de mayúsculas, puntuación, gramática ni ortografía.

Glosario

En este glosario encontrarás el significado de algunas palabras que aparecen en este libro. Las definiciones que leerás a continuación describen las palabras como se usan en las selecciones. En algunos casos se presenta más de una definición.

A

aguja

anciano
La palabra *anciano* viene de la palabra *ante,* en latín, que tiene que ver con "antes" o "del tiempo pasado".

armadura

a·gu·ja *nombre* Instrumento pequeño y fino que se utiliza para coser. En un extremo tiene una punta afilada y en el otro extremo tiene un ojal, a través del cual se pasa el hilo: *Él utilizó agujas para remendar el hueco de sus medias.*

a·ma·rrar *verbo* Atar o unir una cosa a otra cosa: *El caballo estaba amarrado a la carreta.*

an·cia·no/an·cia·na *nombre* Persona de edad avanzada: *Los abuelos de Samuel son ancianos.*

an·te·pa·sa·do *nombre* Miembros de la familia de los que venimos: *Helen y sus padres nacieron en los Estados Unidos, pero sus antepasados nacieron en China.*

a·pe·ti·to *nombre* Hambre o deseo de comer: *Mientras más grande se hacía el cachorro, más aumentaba su apetito.*

a·rar *verbo* Abrir surcos en la tierra y removerla con una herramienta especial: *Los granjeros tienen que arar los campos antes de sembrar las semillas.*

ar·ma·du·ra *nombre* Vestimenta de metal, muy pesada, que se usaba para proteger el cuerpo en las batallas: *El soldado se puso su armadura antes de la batalla.*

a·rru·ga·do/a·rru·ga·da *adjetivo* Rugoso: *Anita alisó su camisa arrugada después del concierto.*

ar·tis·ta *nombre* Persona que demuestra un talento o destreza especial frente a un público: *Aplaudimos a los artistas después de la función.*

B

bor·da·do *nombre*
Decoración que se hace cosiendo diseños con una aguja e hilo: *La tela tenía* **bordados** *de flores rojas.*

bor·de *nombre* Extremo de afuera de algo: *El mantel tenía un* **borde** *de encaje.*

C

cal·de·ro/cal·de·ra *nombre*
Olla o recipiente grande que se usa para hervir agua: *El cocinero del campamento sirvió sopa que hervía en un* **caldero**.

ca·ma·ra·da *nombre*
Compañero, especialmente el que comparte las mismas actividades con alguien: *Los* **camaradas** *de Rosa la aplaudieron cuando ganó la competencia de natación.*

ca·ñón *nombre* Valle profundo con riscos inclinados a ambos lados que se forman por la erosión del agua: *El río Colorado formó el Gran* **Cañón** *hace millones de años.*

ce·le·bri·dad *nombre* Persona famosa: *Marta le pidió un autógrafo a una* **celebridad**.

ce·re·mo·nia *nombre* Acto formal que se celebra en ocasiones especiales: *Cuando comienzan los Juegos Olímpicos, se celebran* **ceremonias** *muy bonitas.*

cha·rre·a·da *nombre*
Presentación en público en que se muestran destrezas con el lazo, montando a caballo: *A todo el mundo le gustó el potro salvaje de la* **charreada**.

co·lec·ción *nombre* Conjunto de objetos reunidos y guardados, en ocasiones para exhibirlos o para estudiarlos: *Paul tiene una* **colección** *de monedas del mundo entero.*

co·lec·cio·nis·ta *nombre*
Persona que tiene colecciones: *Marta es una* **coleccionista** *de estampillas.*

co·lo·sal *adjetivo* Muy grande; enorme: *Un elefante es una criatura* **colosal** *al lado de un ratoncito.*

con·ven·ci·do *adjetivo* Que cree algo o está seguro de algo: *Como la puerta estaba abierta, Martín estaba* **convencido** *de que su hermana estaba en la casa.*

bordado

camarada
Los marinos españoles vivían juntos en cuartos llamados *camaretas.* Los marinos que compartían las camaretas eran llamados *camaradas.*

charreada
La *charreada* se parece al rodeo que se practica en algunos países. El rodeo era originalmente el ganado que se tenía en los ranchos. Más adelante, se comenzó a usar esta palabra para el concurso de destrezas de los *charros.*

cosecha

co·se·cha *nombre* Resultado de la siembra; las frutas o los vegetales que se recogen después de sembrar las plantas: *Tomamos algunas manzanas de la* **cosecha** *para hacer pasteles.*

co·ser *verbo* Remendar, o arreglar algo haciendo puntadas con una aguja e hilo: *La mamá y la tía de Suki* **cosieron** *un disfraz de oso para la función escolar.*

cria·tu·ra *nombre* Ser viviente; generalmente un animal: *La mascota de Rosa es una* **criatura** *muy amigable.*

cui·dar *verbo* Encargarse de alguien o algo; asistir: *Beto sabe* **cuidar** *muy bien a los cachorros.*

D

de·bi·lu·cho *adjetivo* Persona o animal que no tiene mucha fuerza: *Comparado con un león, el gato de mi casa es un* **debilucho**.

de·sa·pa·re·cer *verbo* No dejarse ver, ocultarse o esconderse: *El cielo se puso oscuro cuando el sol* **desapareció** *detrás de las nubes.*

des·cu·brir *verbo* Hallar, encontrar o enterarse de algo: *Enrique, Marcos y Miguel* **descubrieron** *una madriguera de conejos en el parque.*

des·pe·dir·se *verbo* Decir adiós a una persona: *Mirta* **se despidió** *de sus padres antes de irse de viaje.*

di·rec·ción *nombre* La línea o el camino que alguien o algo sigue; lugar hacia el que se desplaza o apunta: *La vía seguía una sola* **dirección**.

E

e·le·gan·cia *nombre* Movimiento ondeado fuerte al final de un trazo o al ejecutar una acción: *Scott desenrolló la bandera con* **elegancia**.

en·he·brar *verbo* Pasar hilo a través del ojal de una aguja o de los ganchos y huecos de una máquina de coser: *Josh* **enhebraba** *una aguja cada vez que quería coser algo.*

es·ca·lo·frian·te *adjetivo* Que causa mucho miedo: *Me gustó la montaña rusa, pero Carlos dijo que fue* **escalofriante**.

es·car·pa·do *adjetivo*
Muy inclinado: *El poblado estaba rodeado de terrenos escarpados.*

es·pan·to·sa/es·pan·to·so *adjetivo* Que causa mucho miedo: *El monstruo de la película era una criatura espantosa.*

es·ta·tua *nombre* Imagen de una persona o animal que se hace de un material sólido, como piedra o metal: *Lucía vio una estatua gigante de Abraham Lincoln en Washington.*

ex·hi·bi·ción *nombre* Presentación en público: *Tania practicó sus patadas para la exhibición de karate.*

ex·per·to *nombre* Persona que conoce muy bien o tiene muchas destrezas en un área específica: *Mis entrenadores de básquetbol son expertos lanzando y pasando la pelota.*

ex·plo·rar *verbo* Observar algo detenidamente para hallar información: *Ada tuvo tiempo de explorar el camino y asegurarse de que la excursión sería segura.*

G

gi·gan·te 1. *nombre* Criatura imaginaria, que generalmente se parece a un ser humano, muy grande y fuerte: *A mis amigos les gustan las películas de gigantes.* 2. *Adjetivo* Muy grande; inmenso: *La pizza era gigante y más de veinte personas comieron de ella.*

gran *adjetivo* Muy grande, alto o poderoso: *Gloria lanzó la pelota con gran fuerza.*

H

he·ro·i·ca/he·ro·i·co *adjetivo* Muy valiente o atrevido: *El bombero era famoso por sus maniobras heroicas.*

hon·rar *verbo* Mostrar especial respeto por la excelencia: *Ellos honran a nuestra maestra con un premio.*

I

i·mi·tar *verbo* Copiar acciones, apariencia o sonidos: *Ana y sus amigas imitan a las cantantes famosas.*

im·po·si·ble *adjetivo* Algo que no puede ser o que no puede ocurrir: *Es* **imposible** *convertir la hierba en oro.*

im·pre·sio·nan·te *adjetivo* Algo asombroso o que causa miedo o respeto: *Juan estaba asombrado con la vista* **impresionante** *desde el castillo.*

in·cre·í·ble *adjetivo* 1. Difícil de creer. 2. Impresionante o asombroso: *Diana contó una historia* **increíble** *sobre un pescado que habla.*

M

mis·te·rio·so/mis·te·rio·sa *adjetivo* Difícil de explicar o comprender: *Nadie se podía explicar de dónde había salido el carro* **misterioso.**

mons·truo·sa/mons·truo·so/ *adjetivo* Extremadamente grande; enorme: *En el parque vimos una barca* **monstruosa.**

P

pe·des·tal *nombre* Base o apoyo, como en una columna o estatua: *La Estatua de la Libertad está encima de un* **pedestal** *muy grande.*

pla·za *nombre* Espacio al aire libre en un pueblo o una ciudad, generalmente rodeado de calles: *Francisco y Manuel se sentaron a hablar en un banco de la* **plaza** *del pueblo.*

pre·o·cu·par·se *verbo* Mostrar cuidado excesivo o molestia por algo: *Tomás no tiene que* **preocuparse** *por comprar comida.*

R

rá·pi·dos *nombre* Grupo pequeño de cascadas en un río donde el agua corre con gran velocidad: *Nuestro viaje en canoa fue muy tranquilo hasta que llegamos a los* **rápidos.**

ra·ro/ra·ra *adjetivo* Algo poco común, que no es ordinario: *Es* **raro** *que llueva en el desierto.*

re·a·le·za *nombre* Miembros de una familia real, como los reyes, las reinas, las princesas y los príncipes: *La* **realeza** *vivía en castillos.*

res·pe·to *nombre* Admiración o consideración: *Brian mostró su* **respeto** *por la naturaleza al limpiar la playa.*

re·ta·zo *nombre* Pedazo que sobra de una tela o cualquier material: *Manuel usó retazos de papel de color para hacer una ilustración.*

re·u·nir *verbo* Juntar, estar juntos: *La familia siempre se reunía en verano.*

ri·que·za *nombre* Gran cantidad de dinero o posesiones valiosas de una persona: *La reina lució sus diamantes como símbolo de su riqueza.*

ro·ca *nombre* Una piedra grande redondeada: *Cruzamos el arroyo caminando sobre las rocas que sobresalían del agua.*

S

sa·lien·te *nombre* Superficie plana como un estante en un lado de un risco o una pared de piedra: *Los escaladores descansaron en salientes en medio de la montaña.*

sem·brar *verbo* Regar semillas en la tierra para que crezcan: *Mamá quiere sembrar semillar de calabazas en nuestro huerto.*

sím·bo·lo *nombre* Algo que destaca o representa otra cosa: *Las estrellas de la bandera de los Estados Unidos son símbolos de los cincuenta estados.*

si·tua·ción *nombre* Conjunto de condiciones en un momento dado: *El granizo o la neblina espesa pueden generar situaciones peligrosas para la gente que maneja.*

so·por·tar *verbo* Tolerar algo: *Julia soportó la lluvia y el frío en su viaje de campamento.*

T

ta·re·a *nombre* Trabajo u obligación sencilla, que generalmente se hace en un momento determinado: *Las tareas de María son: lavar los platos y sacar a pasear el perro.*

triun·fan·te *adjetivo* Tener éxito: *El corredor triunfante recibió una medalla de oro.*

tro·pa *nombre* Grupo de soldados: *Las tropas valientes vigilaban el fuerte.*

V

vic·to·rio·so/vic·to·rio·sa *adjetivo* Que ha vencido a alguien o a un grupo de personas: *Los jugadores de fútbol celebraron su batalla victoriosa para ganar la copa.*

vi·si·ble *adjetivo* Que se puede ver: *Los colores brillantes del abrigo de Beth eran visibles entre la muchedumbre.*

sembrar

tropa

victorioso

381

Acknowledgments

"*Acampar en la naturaleza*," originally published as "*Camping on the Wild Side!*," by Roger Kaye from Ranger Rick magazine, July 1997 issue. Copyright © 1997 by the National Wildlife Federation. Translated and reprinted with the permission of the publisher, the National Wildlife Federation.

Anthony Reynoso: Un niño charro, originally published as *Anthony Reynoso: Born to Rope*, by Martha Cooper and Ginger Gordon. Text copyright © 1996 by Ginger Gordon. Photographs copyright © 1996 by Martha Cooper. Translated and reprinted by permission of Houghton Mifflin Company.

Arco iris bailarines, originally published as *Dancing Rainbows: A Pueblo Boy's Story*, by Evelyn Clarke Mott. Copyright © 1996 by Evelyn Clarke Mott. Translated and published by arrangement with Dutton Children's Books, a division of Penguin Putnam Inc.

La Balada de Mulán, originally published as *The Ballad of Mulan*, written and illustrated by Song Nan Zhang, published by Pan Asian Publications (USA) Inc., Union City, California. Copyright © 1998 by Song Nan Zhang. Translated and reprinted by permission of the publisher.

Cuidadora de dragones, originally published as *Raising Dragons*, by Jerdine Nolen, illustrated by Elise Primavera. Text copyright © 1998 by Jerdine Nolen. Illustrations copyright © 1998 by Elise Primavera. Translated and reprinted by permission of Harcourt Inc.

"*Deja que fluya*," originally published as "*Go with the Flow*," from the May 1997 issue of 3 2 1 *Contact* magazine. Copyright © 1997 by Children's Television Workshop. Translated and reprinted by permission of the publisher.

Dogzilla, by Dav Pilkey. Copyright © 1993 by Dav Pilkey. Translated and reprinted by permission of Harcourt Inc.

"*Dragones de la vida real*," originally published as "*Do You Believe in Dragons?*," by Robert Gray from Ranger Rick magazine, October 1993 issue. Copyright © 1993 by the National Wildlife Federation. Translated and reprinted with the permission of the publisher, the National Wildlife Federation.

El gigante misterioso de Barletta, originally published as *The Mysterious Giant of Barletta*, by Tomie dePaola. Copyright © 1984 by Tomie dePaola. Translated and reprinted by permission of Harcourt Inc.

El jardín de Abdul Gasazi, originally published as *The Garden of Abdul Gasazi*, by Chris Van Allsburg. Copyright © 1979 by Chris Van Allsburg. Translated and reprinted by permission of Houghton Mifflin Company. All rights reserved.

"*En el país de Nomeacuerdo*," from *El reino del revés*, by María Elena Walsh, published by Alfaguara, 2000. Text copyright © 1965 by María Elena Walsh. Reprinted by permission of the author.

"*Escritura china*," originally published as "*Chinese the Write Way*," by Susan Wills, illustrated by YongSheng Xuan from Spider magazine, August 1996 issue, Vol. 3, No. 8. Text copyright © 1996 by Susan Wills. Illustrations copyright © 1996 by YongShen Xuan. Cover copyright © 1996 by Carus Publishing Company. Text and illustrations translated and reprinted by permission of the author and illustrator. Cover reprinted by permission of *Spider* Magazine.

"*Jóvenes estrellas*," originally published in *National Geographic World* magazine as the following: "*Talent with a Twist*," by Pat Robbins (June 1995 issue), "*All That Jazz*," by Judith E. Rinard (March 1995 issue), "*Flamenco Fantástico*," by Jane R. McGoldrick (October 1996 issue), "*Musical Maestros...Relatively Speaking*," by Minna Morse (May 1995 issue). Copyright © National Geographic Society. Translated and reprinted by permission of National Geographic Society.

"*La araña hambrienta*," originally published as "*Hungry Spider*," from *Thirty-Three Multicultural Tales to Tell*, by Pleasant L. DeSpain. Copyright © 1993 by Pleasant L. DeSpain. Translated and used by permission of August House Publishers Inc.

"*La carrera de Conejo y Tortuga*," originally published as "*Rabbit Races with Turtle*," from *How Rabbit Tricked Otter and Other Cherokee Trickster Stories*, by Gayle Ross. Copyright © 1994 by Gayle Ross. Translated and reprinted by permission of Parabola magazine, www.parabola.org.

La cascada, originally published as *The Waterfall*, by Jonathan London, illustrated by Jill Kastner. Text copyright © 1999 by Jonathan London. Illustrations copyright © 1999 by Jill Kastner. Translated and used by permission of Viking Children's Books, a division of Penguin Putnam Inc.

La colcha de los recuerdos, originally published as *The Keeping Quilt*, by Patricia Polacco, translated by Teresa Mlawer. Copyright © 1998 by Patricia Polacco. Translation copyright © 1999 by Lectorum Publications, Inc. Text reprinted by permission of Simon & Schuster Books for Young Readers, Simon & Schuster Children's Publishing Division. All rights reserved. Translation reprinted by permission of Lectorum Publications, Inc.

"*La lluvia y los arco iris*," from *My Science Book of Weather*, by Neil Ardley. Text copyright © 1992 by Dorling Kindersley Limited, London. Published in the United States as *The Science Book of Weather* by Harcourt, Inc. Reprinted by permission of Dorling Kindersley Limited, London.

La tela que habla, originally published as *The Talking Cloth*, by Rhonda Mitchell. Copyright © 1997 by Rhonda Mitchell. Translated and reprinted by permission of Orchard Books, an imprint of Scholastic Inc.

"*Muñecas huecas*," originally published as "*Nesting Dolls*," by Marie E. Kingdon from Hopscotch for Girls, Vol.10, No. 2, August/September 1998. Copyright © 1998 by Marie Kingdon. Translated and reprinted by permission of the publisher.

Objetos perdidos, originally published as *The Lost and Found*, by Mark Teague, published by Scholastic Press, a division of Scholastic Inc. Copyright © 1998 by Mark Teague. Translated and reprinted by permission of Scholastic Inc.

"*Perdió el niño sus zapatos...*," from *Islamar: Poemas y cuentos*, by Esther Feliciano Mendoza. Copyright © 1988 by Esther Feliciano Mendoza. Reprinted by permission of Rafael Acevedo Fantauzzi.

"*Raíces*," from *Laughing Tomatoes and Other Spring Poems/Jitomates risueños y otros poemas de primavera*, by Francisco X. Alarcón. Poem copyright © 1997 by Francisco X. Alarcón. Reprinted with permission of the publisher, Children's Book Press, San Francisco, CA.

"*Tía Zorra y los peces*," from *El mundo de tío conejo*, by Rafael Rivero Oramas. Text copyright © 1985 by Rafael Rivero Oramas. Reprinted by permission of Ediciones Ekaré.

"*Una receta sana de Ghana*," originally published as "*Homemade Peanut Butter*," from *The Kids' Multicultural Cookbook: Food & Fun Around the World*, by Deanna F. Cook. Copyright © 1995 by Williamson Publishing Company. Translated and reprinted by permission of Williamson Publishing Company.

"*Vistas de Roma*," originally published as "*Hot Spots, Eyes on Rome*," by M. Linda Lee from *National Geographic World* magazine, July 1995 issue. Copyright © 1995 by National Geographic Society. Translated and reprinted by permission of National Geographic Society.

Additional Acknowledgments

Special thanks to the following teachers whose students' compositions appear as Student Writing Models: Cindy Cheatwood, Florida; Diana Davis, North Carolina; Kathy Driscoll, Massachusetts; Linda Evers, Florida; Heidi Harrison, Michigan; Eileen Hoffman, Massachusetts; Bonnie Lewison, Florida; Kanetha McCord, Michigan.

Photography

3 (tr) © 2002 PhotoDisc, Inc.. **10-11** Bay Hippisley/Getty Images. **16-17** (banner) ©2002 PhotoDisc, Inc.. **18** Michael Greenlar/Mercury Pictures. **54** (l) © Royal Ontario Museum/CORBIS. (br)© Seattle Art Museum/CORBIS. **55** (r)© Royal Ontario Museum/CORBIS. (b) ©Keren Su/CORBIS. **56** Courtesy Song Nan Zhang. **93** ©Graham French/Masterfile. **115** (t) Dennis Gray/Mercury Pictures. (b) Barry